D0979720

ENTRETIEN D'EMBAUCHE : LES QUESTIONS INCONTOURNABLES

Frédéric de MONICAULT
Olivier RAVARD

SOMMAIRE

INTRODUCTION 9

PARTIE I

Parlez-moi de votre parcours 11

1. Votre formation 13

- Pourquoi avez-vous choisi cette formation ? 13
- Comment avez-vous choisi cette formation ? 15
- Réussissiez-vous facilement vos examens ? 16
- Expliquez-moi la logique de votre parcours... 18
- Quel aspect de votre formation vous a le plus marqué(e) ? 20
- Sur quels critères avez-vous choisi cette double formation ? 21
- Quelles étaient vos matières de prédilection ? 23
- Vous qui sortez d'une école de commerce, ça ne vous gêne pas d'avoir dû acheter votre diplôme ? 25
- Comment avez-vous financé vos études ? 26
- Pourquoi avez-vous redoublé ? 27
- Etiez-vous impliqué(e) dans la vie associative pendant votre formation ? 29
- Etes-vous spécialiste ou généraliste ? 30
- Quel est votre niveau de langues ? 31
- Pouvons-nous poursuivre cette conversation en anglais ? 32
- Maîtrisez-vous bien l'outil informatique ? 33
- Comptez-vous un jour reprendre des études ? 35
- Vous êtes autodidacte ? 36

2. Vos stages et vos expériences professionnelles 37

- Quelles activités aviez-vous dans le cadre de la junior entreprise ? 37
- Grâce à qui avez-vous trouvé ce stage ? 39
- Décrivez-moi une journée de travail au cours de ce stage... 40
- Quel a été votre stage le plus difficile ? 41

- Pourquoi n'avez-vous pas effectué de stage à l'étranger ? 43
- Y avait-il une possibilité d'embauche à l'issue de ce stage ? 44
- Pourquoi n'avez-vous pas franchi le cap de la période d'essai ? 45
- Si je prends des références chez votre ancien employeur, que va-t-il me dire sur vous ? 46
- Que pensez-vous de votre ancien employeur ? 47

PARTIE II

Qui êtes-vous ? 49

1. Votre personnalité 51

- Où sont vos racines ? 51
- Quel est le parent qui a eu le plus d'influence sur vous ? 53
- Etes-vous célibataire ? 54
- Que fait votre conjoint/ami(e) ? 55
- Comptez-vous avoir des enfants ? 56
- Avez-vous de nombreux amis ? 57
- Que pensent de vous vos amis ? 58
- Définissez-vous en un mot... 59
- Etes-vous facile à vivre ? 60
- Avez-vous le goût du risque ? 61
- Chez vous, l'enthousiasme précède-t-il toujours la réflexion ? 62
- Etes-vous ponctuel(le) ? 64
- Avez-vous un gros train de vie ? 66
- Savez-vous tenir un budget ? 67
- Vous avez quinze euros à votre disposition, qu'en faites-vous ? 68
- Avez-vous un idéal dans la vie ? 69

2. Vos activités 70

- Avez-vous des passions dans la vie ? 70
- Quelles étaient vos activités extra-scolaires ? 72
- Préférez-vous les sports individuels ou les sports collectifs ? 74
- Quel est le dernier film que vous ayez vu ? 75
- Regardez-vous souvent la télévision ? 76
- Que lisez-vous actuellement ? 78

PARTIE III

Parlons boulot 79

1. Vous et le poste 81

- Ce poste, vous en rêvez ? 81
- Quelle idée vous faites-vous de la fonction ? 82
- Quelles sont, selon vous, les compétences nécessaires pour réussir à ce poste ? 83
- Quelles sont les difficultés du poste ? 85
- Vous sentez-vous directement opérationnel(le) ? 87
- D'après vous, que va vous apporter ce poste ? 88
- Ne pensez-vous pas être un peu jeune pour ce poste ? 89
- Quelles sont vos prétentions en matière de rémunération ? 90
- Quels changements souhaitez-vous apporter au poste ? 92
- En quoi ce poste est-il indispensable à la réussite de votre carrière ? 94
- Quelle évolution envisagez-vous à partir de ce poste ? 95

2. Vous et l'entreprise 97

- Pourquoi nous avez-vous contactés ? 97
- Qu'est-ce qui a retenu votre attention dans notre annonce ? 99
- Que savez-vous de notre entreprise ? 101
- Qu'est-ce qui vous attire dans notre culture d'entreprise ? 103
- Vous sentiriez-vous plus à votre aise dans une petite entreprise ou dans une grosse structure ? 105
- Qu'appréciez-vous dans le travail en équipe ? 107
- Aimez-vous commander ? 109
- Qu'attendez-vous de la hiérarchie ? 111
- Votre supérieur hiérarchique refuse de prendre en compte vos idées, que faites-vous ? 113
- Quelle différence faites-vous entre leadership et autorité ? 115
- Où se situe pour vous l'équilibre entre vie privée et vie professionnelle ? 116
- La pression vous galvanise-t-elle ? 118
- Pour vous, les week-ends sont-ils sacrés ? 120
- Savez-vous vous adapter ? 122
- Etes-vous mobile ? 124

◗ Vous recevez quatre propositions d'embauche, laquelle choisissez-vous ? *126*
◗ Avez-vous d'autres propositions d'embauche ou, en tout cas, d'autres pistes d'emploi ? *127*

PARTIE IV

Le moment de vérité *129*

1. On vous teste *131*
◗ Cherchez-vous du travail depuis longtemps ? *131*
◗ Quelle est la décision la plus difficile que vous ayez eue à prendre ? *133*
◗ A quelle question n'aimeriez-vous pas répondre ? *134*
◗ Vous vous engagez dans une action humanitaire, laquelle choisissez-vous ? *135*
◗ Comment vous tenez-vous informé(e) ? *137*
◗ Avez-vous déjà songé à prendre une année sabbatique ? *138*

2. Les grands classiques *139*
◗ Le « top ten » des questions les plus posées en entretien *139*
◗ Pouvez-vous vous présenter ? *140*
◗ Quelles sont vos qualités ? Vos défauts ? *141*
◗ Quelles bonnes raisons aurions-nous de vous embaucher ? *144*
◗ Comment vous voyez-vous dans dix ans ? *146*

3. L'heure tourne *148*
◗ Que pensez-vous du déroulement de cet entretien ? *148*
◗ Souhaitez-vous ajouter quelque chose ? *149*
◗ Pouvons-nous nous revoir très rapidement ? *151*
◗ Etes-vous prêt(e) à signer tout de suite ? *152*

CONCLUSION *155*

INTRODUCTION

« Diplômé(e), je suis diplômé(e) ! Di-plô-mé(e) ! » C'est fait ? Bravo, félicitations, vous n'avez plus qu'à trouver un travail.

Façon de parler : vous venez de pénétrer dans l'arène de la recherche d'emploi. Votre parcours sera bien entendu semé d'embûches. Votre mission (et vous l'accepterez) : trouver un poste qui vous convienne en moins de temps qu'il n'en faut à un professionnel du recrutement pour jeter un CV mal orthographié. Au programme : lettres de candidature, élaboration de CV bétonné... et entretien d'embauche.

Le mythique **« entretien d'embauche »**, ou le grand pas dans l'inconnu. Hostile, l'inconnu ? Pas forcément, mais... inconnu, justement. Sombre cauchemar de jeune candidat : votre CV a fait mouche, votre lettre de candidature parfaite et pleine d'enthousiasme a attiré l'attention. Vous êtes retenu(e). Prochaine étape : l'entretien. L'avancée est conséquente, le pas peut être décisif. Gonflé(e) à bloc, vous pénétrez dans un bureau somptueux *(« Chic, mon nouvel environnement de travail ! »)*. Il vous attend, Il vous observe déjà. Son regard est aiguisé, et Il vous dévisage. Un effort de concentration et vous reprenez vos esprits. *« Asseyez-vous, je vous en prie... »*. On y est, ou plutôt vous y êtes : l'heure H du jour J a sonné. Vous êtes dans les starting-blocks, prêt(e) à « donner le meilleur de vous-même », comme on dit dans les guides. Pas encore : Il cherche à vous mettre à l'aise. *« Vous êtes originaire de Bretagne Occidentale ? Jolie région... ». « Bon passons aux choses sérieuses... Vous recevez quatre propositions d'embauche, laquelle choisissez-vous ? »* Et là ... le trou noir, la panne, le vide absolu, terrible... Un silence qui s'éternise, censé en dire long sur vos capacités de réaction. Sa question vous prend totalement au dépourvu. Vous êtes KO debout, sonné(e), et bredouillez en désespoir de cause un malheureux « *Je ne sais pas, ça dépend.* ».

La scène a de quoi faire frémir, mais de toute évidence, vous ne serez pas amené(e) à la vivre. Le guide que vous tenez dans les mains a justement pour objectif de vous éviter toute situation de ce type. Les cent questions les plus fréquentes, les plus embarrassantes, les plus délicates, ont été disséquées, décodées afin de vous éviter ce genre de mésaventure. Cent questions classées par thème, des tonnes d'écueils à éviter, quelques faux amis démasqués, des idées reçues passées à la trappe et des astuces salvatrices. Cent pistes et suggestions de réponses pour que jamais vous ne puissiez dire : « *Je me suis fait surprendre. J'étais à côté de la plaque...* ». Cent conseils pour un entretien réussi, à l'issue duquel vous serez l'heureux élu(e).

PARTIE I

PARLEZ-MOI DE VOTRE PARCOURS

1. Votre formation

Pourquoi avez-vous choisi cette formation ?

Pas de surprise ici : le « pourquoi » précède naturellement le « comment », l'important étant pour votre interlocuteur de déceler les racines de votre motivation, mais également – et surtout – votre maturité.

« *La motivation n'exclut pas une certaine forme d'humilité et de réalisme* », souligne Jean-Paul Brett, directeur associé du cabinet Pereire Conseil : « *ce type de questions nous permet d'apprécier au passage la hauteur de vue du candidat* ». Le marché de l'emploi change, et la seule motivation du jeune diplômé n'est plus suffisante : vous êtes jeune et fougueux(se) ? Encore heureux, mais ça ne suffit plus, il va vous falloir – si ce n'est déjà fait – apprendre le recul.

Ainsi, les critères de choix d'une formation initiale trahissent bien souvent, la courte vue des étudiants. En somme, vos choix doivent idéalement refléter à la fois votre intérêt pour les études poursuivies et la conscience des contraintes qui pèsent sur votre projet professionnel.

A côté de la plaque :

• *« J'ai choisi l'école la plus prestigieuse, bien sûr... » : terrain miné ! Il ne vous aura fallu que ces quelques mots pour vous décrédibiliser. Un conseil : le prestige, gardez-le pour vous. Si votre école est effectivement prestigieuse, votre interlocuteur ne manquera pas d'être au courant, merci. Par contre, vous venez de prendre un mauvais point en vous étiquetant vous-même « Tendance à se reposer sur ses lauriers ».*

• *« J'ai choisi l'école la plus proche de chez moi ». Sans commentaire.*

• *« Je voulais faire comme les copains » (variante : « Je voulais faire comme papa... »). Etiquette inévitable : « Mouton : sens de l'initiative inexistant ».*

• *« J'ai fait socio, pharma, philo, droit, une prépa HEC, et lettres modernes option bande dessinée (école franco-belge), ça change » : bien sûr... et comment comptez-vous faire pour vous cantonner à un seul métier pendant plusieurs années ?*
• *« J'ai suivi mon instinct... » : perdu, c'est tout le contraire de ce que l'on attend de vous pour l'instant. Vous suivrez votre instinct quand vous serez un vrai pro. Suivant !*

Bien vu :
• *Bannir toute impression de dilettantisme en soulignant l'importance de votre cursus dans la construction de votre portefeuille de compétences : à l'heure des « multicompétences », vous avez su, dès vos études, « apprendre à apprendre », non ?*

Comment avez-vous choisi cette formation ?

En traduction : « *Avez-vous reçu une aide quelconque lors du choix de votre formation ?* » Le « comment » permet à votre interlocuteur d'approfondir sur le thème de la formation en rebouclant sur le « pourquoi ».

L'argument est simple : choisir seul(e) sa formation selon ses propres critères dénote une **maturité d'esprit** relativement précoce, donc digne d'intérêt. En revanche, suivre aveuglément les conseils de son entourage (le pire en la matière : vos propres parents...) indique une personnalité malléable et peu marquée. Attention, ce ne sont là que des grandes tendances, mais vous remarquerez rapidement qu'elles guident bien souvent les décisions des professionnels du recrutement.

Néanmoins, demander conseil ou se renseigner afin de choisir en toute sérénité n'a rien de rédhibitoire. Simplement, il est fortement recommandé d'insister sur le caractère actif de la démarche. A la trappe les « *Je n'y ai même jamais réellement songé, devenir ingénieur était pour moi une évidence. Comment faire autrement dans une famille de scientifiques ?* » et autres « *Mon entourage est de bon conseil et me connaît mieux que moi-même, alors...* »

Bref, le meilleur moyen d'être crédible en exposant votre projet professionnel est encore de commencer par affirmer des choix volontaires en matière de formation. Si vous avez suivi vos études contre vents et marées, c'est encore mieux. Attention : ne forcez pas la dose non plus (« *Je voulais absolument faire une ESC option finance internationale : c'était mon rêve d'enfant, vous comprenez. Le mercredi, j'allais en cachette à la Bourse de Paris. Mes parents s'opposaient fortement à mes projets et voulaient que je fasse l'école du cirque. Pour eux, les traders sont tous des voyous et compagnie, des gens pas sérieux quoi ... vous voyez un peu ? J'ai vraiment dû me battre pour aller là où me poussait mon idéal...* »).

Réussissiez-vous facilement vos examens ?

Franchise et argumentation de rigueur. Franchise parce que la seule lecture d'un CV permet de se faire une idée assez juste de votre propension à réussir facilement des examens et argumentation parce que rien ne sert de répondre « oui » ou « non » sans autre forme de procès, auquel cas vous n'apportez rien au recruteur qu'il ne sache déjà.

Si vous franchissiez facilement les obstacles, **insistez sur la qualité de votre formation** et dites d'un ton modeste que cette réussite vous incite à penser que vous ferez l'affaire dans vos nouvelles fonctions. Si vous ne passiez que « ric-rac », donnez des raisons « avouables » : difficultés des examens en question, grosse somme de travail demandée, nécessité pour vous de faire d'autres choses à côté (les petits jobs sont plutôt bien vus)...
Et si vraiment la période des examens était pour vous un calvaire, soulignez votre satisfaction de plonger enfin dans le bain de la vie professionnelle. Enfin, si vos copies figuraient dans une honnête moyenne, dites simplement que votre scolarité s'est passée sans heurts. Cette question visant moins à statuer sur votre intelligence qu'à jauger votre capacité de jugement sur votre parcours, jouez cartes sur table !

A côté de la plaque :
- *« Que voulez-vous, j'ai de la facilité. »*
- *« Et pour vous, ça se passait comment ? »*
- *« Je ne suis pas sûr que l'intelligence se détermine en fonction du degré de réussite aux examens. »*
- *« J'ai le sentiment que j'ai régulièrement été sous-noté. »*
- *« Peu importe de passer facilement ou pas la barre, l'essentiel, c'est de la passer. »*
- *« Ah, non... Dès qu'il y a un enjeu, je perds mes moyens... »*

Bien vu :

• *Vous avez suivi deux, trois ou quatre cursus différents. Vous avez donc l'expérience des examens. Servez-vous en pour faire apparaître que d'une matière à l'autre, les examens ne font pas appel aux mêmes qualités, que de la même façon que dans l'entreprise, des qualités différentes sont amenées à s'exprimer. Vous montrerez ainsi qu'en plus de passer des examens, vous comprenez leur logique.*

Expliquez-moi la logique de votre parcours...

La question est primordiale. Un point capital du cursus de tout jeune diplômé est ici abordé : la cohérence du parcours scolaire et universitaire. Pas de pièges, ni de faux-semblants dans cette question : votre scolarité doit être orientée vers un objectif professionnel précis et c'est exactement ce que vous allez devoir démontrer à votre interlocuteur.

Autant vous prévenir tout de suite : si vous comptez sur votre seule motivation pour décrocher un poste, vous allez très rapidement déchanter : « *C'est assez terrible, mais on ne pardonne plus grand-chose aux candidats aujourd'hui. Il y a encore quelques années, on demandait simplement aux jeunes diplômés de se montrer motivés. Désormais, il doivent avoir en tête un projet précis. Et ce, dès le début de leurs études supérieures. En fait, on leur demande de faire preuve de maturité de plus en plus tôt, et ce n'est pas chose facile...* ». La raison majeure de ces exigences ? Le chômage aidant, les entreprises trouvent de plus en plus de candidats motivés pour un poste à pourvoir. Conséquence : on réclame à la fois un niveau de diplôme de plus en plus élevé et des qualités supplémentaires : maturité et cohérence, par exemple... Simple question d'offre et de demande : sur le marché de l'emploi comme ailleurs, lorsque l'offre s'élève, la concurrence se fait plus rude...

Vous avez traversé les cycles supérieurs sans embûches et toujours su où vous souhaitiez aller ? Parfait. Dans le cas contraire, il va vous falloir extraire la ligne directrice de votre parcours et ne laisser aucune faille.

• **Un seul mot d'ordre** : cohérence à tous les étages. Inutile de se présenter à un entretien les yeux dans le vague et la fleur au fusil. Toutes les années séparant l'obtention de votre bac de votre recherche d'emploi doivent trouver une justification et ce poste doit représenter l'aboutissement d'un parcours à la logique implacable.

• **Un bémol tout de même** : la plupart des recruteurs excuseront un redoublement et/ou une erreur d'aiguillage à moins qu'ils ne soient réellement tardifs. Dans ce cas, reconnaissez l'erreur sans omettre de souligner les acquis de l'année « perdue » (vous avez appris le sens du mot « échec », découvert vos propres limites, précisé votre projet professionnel...).

Quel aspect de votre formation vous a le plus marqué(e) ?

Suivre une formation n'est pas tout, encore faut-il en profiter... Etait-ce votre cas ? C'est exactement ce que cherche à savoir votre interlocuteur. Si vous deviez conseiller votre formation, sur quelle caractéristique insisteriez-vous ?

Oubliez dès à présent le classement par matière : montrez-vous professionnel(le) en voyant plus large et plus loin. Choisissez en outre un point en rapport direct avec le monde de l'entreprise ou mieux, avec le poste auquel vous postulez. Enfin, choisissez de préférence l'un des aspects de l'une de vos dernières années d'études. Insister sur l'initiation au macramé lors des cours d'éducation manuelle et technique au collège (« ... *et on avait réalisé un cache-pot !* ») fera certes sourire le recruteur mais ne démontrera guère votre attrait pour la fonction commerciale.

Le choix d'arguments reste large : partenariat avec les entreprises, suivi des stages, ouverture à l'international, suivi des étudiants, qualité des intervenants, diversité des options, etc., etc. Montrez-vous enthousiaste. Soulignez que votre formation vous a intéressé(e) et que si c'était à refaire etc., etc.

A noter :

• *Encore une question de type « le plus... », impliquant une démarche de choix argumenté lors de la réponse fournie par le candidat. Le recruteur teste votre motivation quant au choix de la formation. Etait-ce une démarche volontaire ? Un choix par défaut ? « Certains ne se souviennent même plus de leurs années d'études et se révèlent incapables de dater leur formation... C'est dommage, et ce trou de mémoire est souvent révélateur d'un manque d'implication... »*

A côté de la plaque :

• *« Aucun. Je m'y suis profondément ennuyé(e)... ». Sans commentaire.*

Sur quels critères avez-vous choisi cette double formation ?

Rien de très méchant dans cette question qui touche à la formation et que le recruteur vous posera sans doute s'il estime qu'un virage important s'est produit dans votre parcours.
Par exemple, un 3e cycle de ressources humaines après une école d'ingénieurs, ou une maîtrise de droit en plus d'une école de dessin. Bref, toutes ces alliances de formations qui semblent parfois un peu saugrenues. A vous de montrer qu'elles sont complémentaires et que ce choix d'un second cursus a d'abord été motivé par des perspectives professionnelles. « *Même si l'étudiant penche parfois un peu par hasard pour tel ou tel cursus,* commente un DRH, *cette notion de hasard doit disparaître le jour de l'entretien. Le candidat doit nous montrer que cette combinaison vient de loin et qu'elle répond parfaitement à notre exigence de formation pour le poste. Evidemment, avec ce genre de raisonnement, on obient parfois des argumentations poussées à l'extrême mais il faut impérativement que le concept de logique du parcours sous-tende la réponse du candidat.* »

Si votre double cursus repose sur des matières qu'on est habitué à voir cumuler, ni une ni deux, vous évoquerez le choix de « formations complémentaires dont l'association augmente votre potentiel ».

Variantes :

- *« Avez-vous mené conjointement ces deux cursus ? »*
- *« Comment êtes-vous passé(e) d'un cursus à l'autre ? »*
- *« Parlez-nous de votre double formation. »*

A côté de la plaque :

- *« Plutôt que d'être au chômage, j'ai préféré poursuivre mes études. »*
- *« J'avais envie d'un second cursus facile et sympa. »*
- *« Après une école, la fac, c'est super cool. »*

Bien vu :

• *Entre une école de commerce à Rennes et une maîtrise d'éco à Grenoble, vous avez dû voyager à cause de votre double cursus. Tant mieux, vous disposez d'un nouvel atout trouvé pour votre entretien. Vous pourrez ainsi témoigner de votre pouvoir de mobilité, de votre capacité d'adaptation et de votre suite dans les idées. Si vous n'avez choisi que parce que votre petite copine ou votre petit copain s'y trouvait, inutile de le faire savoir : votre vie privée ne regarde que vous.*

Quelles étaient vos matières de prédilection ?

Vous allez penser que le recruteur remonte aux calendes grecques. Que nenni ! A travers l'examen des matières, il envisage déjà les domaines d'activités où vous allez être plus ou moins performant. Pour certains postes en particulier, il est impératif d'avoir fait ses preuves dans des matières précises : par exemple les langues pour un poste à l'international ou certains registres du droit pour des professions à caractère juridique. Néanmoins, beaucoup de postes font appel à un large éventail de matières sans pour autant qu'il soit nécessaire de les posséder à fond. Votre mission, si vous l'acceptez (et nous vous conseillons de l'accepter...), consistera à parler « matières » tout en pensant « poste ». On se f.... pas mal de savoir que vous étiez fort en dictée ou en fractions, en revanche, si vous savez rédiger des rapports de qualité optimale, cela devient beaucoup plus intéressant. Vous expliquerez donc que votre penchant originel pour le français débouche désormais sur une haute valeur ajoutée pour tous vos travaux de rédaction. Et ainsi de suite : vous avez le sens des chiffres, ce qui vous permet de juger rapidement de la viabilité d'une opération...

Variantes :

• *« Où avez-vous obtenu vos meilleures notes ? »*
• *« Quel genre d'élève étiez-vous ? »*
• *« Lors du concours d'HEC, qu'est-ce qui a fait la différence en votre faveur ? »*

A côté de la plaque :

• *« Je suis à la fois littéraire et scientifique. »*
• *« Il n'y pas de matière forte ou de matière faible, il n'y a que des bons ou des mauvais professeurs. »*

Bien vu :

• *Il y a matières et matières. Certaines sont plus proches du « domaine », comme l'informatique ou le marketing. N'hésitez pas élargir le propos. Beaucoup de candidats font l'erreur de comprendre le mot « matière » au pied de la lettre, c'est-à-dire au sens de l'enseignement secondaire. Or le domaine fournit un marchepied plus élevé pour atteindre la vie professionnelle.*

Vous qui sortez d'une école de commerce, ça ne vous gêne pas d'avoir dû acheter votre diplôme ?

Ici, aucun doute : la question est volontairement déstabilisante et n'a donc d'autre but que de tester vos capacités de réaction. Une seule parade : le calme. Surtout ne vous démontez pas : « *Le ton était assez agressif. Aussi, lorsque l'on m'a posé cette question, j'ai d'abord accusé le coup : c'était la première fois que l'on me faisait ce genre de remarque !* », s'amuse aujourd'hui Laure. « *J'étais d'autant plus surprise que je savais, pour en avoir discuté auparavant avec lui, que mon interlocuteur était lui-même diplômé d'une ESC privée ! C'est d'ailleurs la raison pour laquelle j'étais à peu près certaine que ce n'était qu'un jeu...* »

Surprenante, l'embûche est en revanche loin d'être insurmontable : expliquez – calmement – que le prix que vous avez payé pour ces enseignements correspond à un investissement sur le marché de la formation. Expliquez, par exemple, que si l'université proposait gratuitement des formations aussi bien adaptées au monde de l'entreprise, vous n'auriez pas hésité à vous y inscrire. Quoi qu'il en soit, vous avez donc la conviction que vous allez rapidement être amené(e) à rentabiliser ce diplôme. D'ailleurs, le poste auquel vous vous présentez en ce moment même n'est-il pas réservé aux jeunes diplômés d'écoles supérieures de commerce ?

A côté de la plaque :

• *Profiter de l'occasion pour égratigner l'institut de formation dont vous êtes issu(e) sous prétexte de montrer à votre interlocuteur que vous êtes de son côté (« Ça me gêne d'autant plus que j'ai l'impression, avec le recul, que cette école n'est pas à la hauteur de mes espérances. Oui, vous avez raison : je crois que si c'était à refaire, je choisirais une autre formation ! »)... Double faute : d'une part, rien ne vous dit que le recruteur a réellement une dent contre les formations payantes en général et contre la vôtre en particulier, d'autre part, en critiquant votre formation, vous vous critiquez vous-même, ce qui ne constitue assurément pas la meilleure façon de se valoriser...*

Comment avez-vous financé vos études ?

Personne ne saurait vous reprocher le financement de vos études par vos parents. En revanche, si vous avez dû consentir un emprunt ou faire des petits jobs pour assumer personnellement le coût de votre scolarité, vous devez impérativement le mentionner. Cela dénote chez vous à la fois une grande motivation et une capacité certaine de prise en main. Certaines écoles se caractérisant par leurs frais de scolarité élevés, vous pourrez même vous attarder sur ce cas de figure. Les recruteurs connaissent cet état de fait qui peut même conduire des étudiants à faire l'impasse sur telle ou telle formation qu'ils auraient pourtant souhaité suivre.

A côté de la plaque :

- *« Combien croyez-vous que m'ont coûté mes études ? »*
- *« Vous connaissez une banque qui fait des prêts à taux intéressants ? »*
- *« Toutes les semaines, je joue au loto pour rembourser mon emprunt étudiant. »*

A noter :

- *Le must, ce sont les études à l'étranger qu'il a fallu financer sur ses propres deniers. Si c'est votre cas, misez à fond sur cet atout et profitez-en pour élargir votre réponse aux bienfaits d'un cursus réalisé hors des frontières et aux capacités d'adaptation que cela implique.*

Pourquoi avez-vous redoublé ?

Tiens, tiens, une question qui montre que le recruteur a soigneusement épluché votre CV. Il a repéré que vos années de formation s'étaient étirées et il ne laisse pas passer l'occasion. Rien de grave, il ne va pas remettre en cause la qualité de votre scolarité sous prétexte qu'elle s'est prolongée, mais il cherche à tester votre **capacité d'encaissement.**
Si des événements extérieurs, maladies par exemple, ont perturbé le cours de vos études, faites-le savoir. Le recruteur en prendra bonne note et on passera à autre chose. Sinon, pour peu que votre parcours soit connu et reconnu (passage par les grandes écoles, par exemple), dites que l'apprentissage est parfois un peu plus long que prévu. Et dites que votre redoublement s'est bien passé parce que vous aviez retenu les leçons de l'année précédente. Souvent, c'est moins l'échec qui importe que la façon qu'on a eue de le digérer puis de s'en servir pour rebondir.
Dans certains domaines, scientifiques par exemple, où le candidat a pu suivre la même filière que le recruteur, une analyse du redoublement peut être la bienvenue. Telle ou telle matière était difficile à comprendre, telle ou telle méthode de travail demandait du temps pour être acquise, et vous l'avez appris à vos dépens. Qu'à cela ne tienne, **soyez positif(ve)** : vous avez travaillé ensuite plus efficacement, vous avez profité de cette année pour prendre un peu de recul, vous avez gagné en maturité, vous avez appris une langue étrangère...

Variantes :
- *« Votre séjour en fac s'est prolongé ? »*
- *« Que pensez-vous des éternels étudiants ? »*
- *« Vous résistez mal au stress des examens ? »*

A côté de la plaque :
- *« Vous savez ce que c'est, quand on jeune, cela arrive de rater des examens. » Ah ! bon, vous êtes déjà vieux, et le recruteur encore plus.*
- *« Il y a des matières qui ne me plaisaient pas. » Vous croyez que vous ne ferez que des choses intéressantes pendant votre carrière professionnelle ?*

• *« Les professeurs ont du mal à juger les élèves. » Et les recruteurs aussi ont du mal à juger les candidats ?*

A noter :

• *Si vous avez fait un double ou triple cursus, montrez que pendant que l'un patinait à cause d'un redoublement, l'autre avançait. Même si votre année de redoublement a été pénible à souhait, parlez de l'approfondissement de certaines matières. Sur le thème « l'année de redoublement, ce n'est pas forcément inutile », préparez des arguments. Il ne faut pas donner le sentiment au recruteur que vous avez fait du surplace.*

Etiez-vous impliqué(e) dans la vie associative pendant votre formation ?

En principe, toutes ces informations (participation à la junior entreprise, à un projet humanitaire, à un raid sportif...) doivent figurer dans votre CV. Autrement dit, si le recruteur vous interroge sur ce point précis, c'est qu'il n'a pas grand chose à se mettre sous la dent sur ce plan-là. Or l'**implication dans la vie associative** a ceci d'important qu'elle fournit souvent une première approche du marché du travail. L'interaction est flagrante dans le cas d'une junior entreprise, car qui monte un gala ou une grande manifestation étudiante se confronte aussi à des réalités très proches de la vie professionnelle : quête de partenaires, bouclage d'un budget, stratégie de communication... Aussi avez-vous tout intérêt à dire que votre scolarité ne s'est pas bornée à prendre des cours et à passer des examens.

Certes, vos velléités extérieures ont peut-être été minimes mais il faut s'arranger pour les faire mousser un peu, le tout étant que votre interlocuteur ait le sentiment que vous avez au moins regardé autour de vous pendant cette période. Si d'aventure vos interventions dans le cadre de cette vie associative ont suscité l'assentiment de professionnels et d'entreprises, embrayez là-dessus. Un candidat qui a monté une opération de RP dans un endroit sympathique avec un parterre de gens éminents s'attirera tout de suite une certaine considération. Celui qui a donné vie à un projet, quel qu'il soit, sera apprécié pour son **dynamisme**. Alors surtout, n'apparaissez pas comme un rat de bibliothèque et quand vous parlerez de ces activités annexes, faites-le de manière ordonnée : parlez des raisons qui vous ont poussé, des contacts obtenus, des résultats enregistrés, de l'apport personnel dont vous avez profité...

A côté de la plaque :

- *« Il y a un temps pour tout. »*
- *« La formation se marie mal à l'action. »*
- *« L'ambiance de l'école n'incitait guère à rentrer dans la vie associative. »*

Etes-vous spécialiste ou généraliste ?

Cette question sert au recruteur à juger votre perception du poste, notamment dans la perspective d'un poste technique. L'idéal, c'est d'apparaître comme un **spécialiste ayant des compétences généralistes**, ou comme un **généraliste capable de se spécialiser**. Pour cela, évitez les mauvais jeux de mots du type : « *Je suis le plus généraliste des spécialistes et le plus spécialiste des généralistes.* » Partez plutôt de votre formation, qui vous prédispose naturellement à l'une ou l'autre option, et montrez comment vous l'avez complétée *via* des stages par exemple.
Souvent, un premier poste exige un profil assez pointu, tandis qu'un poste confirmé fera appel à une démarche plus transversale. Privilégiez donc votre côté spécialiste en signifiant combien vous vous sentez en adéquation avec le poste, puis remplacez la fonction dans un contexte plus général dont vous situerez les enjeux. Par exemple, s'il s'agit d'un poste de vendeur, démarrez avec votre connaissance du produit et poursuivez sur la stratégie du terrain.
Quoi qu'il en soit, un choix brutal ne s'impose pas. Une présentation en tant que pur spécialiste peut-être interprétée comme un manque d'ouverture, une présentation comme pur généraliste comme un manque de précision.

A côté de la plaque :
- *« Je ne crois pas qu'il faille poser la question en des termes aussi tranchés. »*
- *« Vaste débat ! C'est presque philosophique ce que vous me demandez ! »*
- *« Ni l'un ni l'autre ».*
- *« Je vous répondrais dans quelques années. »*

Quel est votre niveau de langues ?

La question paraît anodine, elle n'en reste pas moins redoutable, et ceci pour deux raisons. D'une part, vous n'aurez pas manqué de préciser votre niveau de langues sur votre CV ; il y a donc fort à parier que le recruteur cherche à vous tester et/ou que la maîtrise d'une ou plusieurs langues étrangères revête une importance particulière pour l'emploi auquel vous postulez.
D'autre part, rien n'est plus facile que de vérifier la réalité du « guatémaltèque : bilingue » fièrement claironné sur un CV (« *Présentez-vous en guatémaltèque*... »). En d'autres termes, le bluff en la matière est définitivement à proscrire ! Sachez donc évaluer avec lucidité votre niveau, sans vous déprécier ni vous surestimer. « Notions », « bonnes notions », « moyen », « courant », « bilingue » : cette graduation sera suffisante pour évaluer votre niveau global.
Mentions spéciales pour les termes **« courant »** et **« bilingue »** : le premier témoigne d'une excellente maîtrise de la langue, le second laisse présager une aisance telle qu'un autochtone parviendrait avec peine à vous identifier en tant que Français. Attention à la surenchère, donc (pensez à l'entretien en guatémaltèque...) !

Ne prenez pas la peine de mentionner les langues balbutiées : vos « notions de guatémaltèque » n'ont que peu de chance d'intéresser votre interlocuteur. En revanche, pensez à justifier vos affirmations (séjours, certificats...) et à préciser, le cas échéant, vos domaines de prédilection (guatémaltèque commercial, guatémaltèque médical...). **Surtout, évitez à tout prix, dans le feu de l'action, de contredire votre CV** (« *Anglais courant ? Je lis « notions » sur votre CV... Vous avez pris des cours intensifs ?* ») !

Enfin, si vous vous sentez particulièrement à l'aise, lancez-vous : une petite démonstration de vos talents d'orateur en anglais dans le texte ne saurait vous nuire. A la condition expresse de faire un sans fautes, bien sûr...

Pouvons-nous poursuivre cette conversation en anglais ?

Vous voilà au pied du mur ! Si votre interlocuteur vous pose cette question, c'est que vous lui avez laissé entendre que vous étiez effectivement capable de soutenir une conversation entière dans la langue en question. De deux choses l'une : ou vous « assurez » et poursuivez sans sourciller, ou vous vous « déballonnez » et encaissez le mauvais point...

Dans tous les cas, cette demande, somme toute assez classique (notamment dans le cadre d'entretiens portant sur des postes orientés vers l'international), démontre, si besoin était, à quel point l'usage du pipeau lors du processus de recrutement constitue un recours des plus aléatoires : le mutisme dont vous ferez preuve en cas de surévaluation flagrante parlera de lui-même.

Un conseil : en cas de doute, lancez-vous plutôt que de bredouiller un malheureux « *Euuh, comme ça, à froid ? Ça m'ennuie un peu : j'ai pas révisé...* ». Votre interlocuteur se montrera certainement plus enclin à l'indulgence envers les quelques erreurs et hésitations qui suivront (le stress de l'entretien...) qu'envers le doute qui planera si vous déclinez son offre.

Maîtrisez-vous bien l'outil informatique ?

Même conseil que pour la question relative aux langues étrangères : **interdit de tricher**. Certes, on ne risque pas de vous mettre un portable sous le nez et de vous demander de faire quelques « manips », mais il suffit de quelques questions insidieuses pour tester vos compétences réelles. Pour autant, plus personne aujourd'hui ne peut dire à un recruteur qu'il ignore totalement l'outil informatique. Alors, même si vous n'employez une « bécane » que pour du traitement de texte, soulignez-le bien et faites valoir tous les avantages que cela procure. Inversement, si la plupart des logiciels existants n'ont plus de secrets pour vous, il est essentiel que votre interlocuteur soit vite convaincu de votre potentiel dans ce domaine.

Evidemment, la réponse dépend beaucoup du secteur visé. Si le poste exige un recours quotidien à l'informatique, vous devez être formé sur ce point. A ce propos, il n'est pas rare que la petite annonce fasse mention des hautes compétences réclamées en informatique. A ce niveau-là, l'entretien peut virer assez rapidement à la conversation entre spécialistes. Si le poste ne fait que modérément appel à l'informatique, explicitez quand même vos compétences dans ce domaine et tâchez de les relier à l'exercice du poste. Vous faites alors d'une pierre deux coups : non seulement vous mettez en avant vos compétences, mais en plus vous montrez comment elles vont vous aider dans votre travail. Très fort.

Variantes :

• *« Mac ou PC ? » Soyez souple en répondant à cette question. Sauf investigation menée dans les règles de l'art, vous ignorez la nature de l'équipement de l'entreprise. Un indice toutefois : les PC représentent 80 % du parc informatique des entreprises. Conclusion : même si vous ne travaillez que sur PC, dites que vous saurez de toute façon vous adapter.*

A côté de la plaque :

• *« A l'école, on m'appelait le Mozart de l'ordinateur. »*

• *« Pirater les systèmes, c'est ma grande passion. »*
• *« Comment ? Je n'aurais pas un informaticien à ma disposition. »*
• *« De toute façon, l'informatique évolue tellement vite qu'on ne peut jamais être à la page. »*

A noter :
• *Attention, les jeux vidéo, ce n'est pas de l'informatique, au moins pour un recruteur, qui, en principe, ne se soucie guère des dernières consoles de jeux. Toutefois, si les seuls logiciels que vous utilisez sont des logiciels de jeux, lancez-vous : sur PC, les jeux sont les logiciels les plus exigeants et les plus compliqués à configurer.*

Comptez-vous un jour reprendre des études ?

Les esprits foncièrement pessimistes penseront qu'en leur posant une pareille question, le recruteur les incite à compléter une formation qu'il juge insuffisante. Ce n'est pas le cas : le recruteur s'intéresse surtout à votre vision de l'avenir, aux enseignements que vous avez tirés de vos études et à la manière dont vous pourrez encore les bonifier. Sans compter votre motivation et votre esprit de curiosité, qui est ici titillée. Car pour reprendre des études, une fois lancé dans la vie active, il faut vraiment le vouloir. Que dire alors ? Que vous **hiérarchisez vos priorités** et que la première d'entre elles, c'est de trouver du travail pour faire vos preuves.

Ensuite, **parlez de l'avenir** en disant que de nouvelles orientations peuvent toujours se produire au cours d'une carrière, qu'elles sont même souhaitables et qu'elles peuvent conduire à entamer un nouveau cursus, histoire de se perfectionner dans telle ou telle matière.

Au passage, revenez un instant sur votre parcours scolaire, montrez en quoi il est cohérent et comment il répond aux **attentes du recruteur** dans le cadre d'un poste en particulier. Cela fait peut-être beaucoup de choses, mais il y a certaines questions comme ça qui réclament de jongler entre passé, présent et avenir.

A côté de la plaque :
- *« Si cela ne tenait qu'à moi, je reprendrais les études dès demain. »*
- *« Ce n'est plus comme autrefois : les études sont devenues beaucoup plus difficiles. »*
- *« Ne me parlez pas d'avenir, j'ai déjà suffisamment de mal avec le présent. »*

Bien vu :
- *Un certain nombre de formations de haut niveau existent sur le marché, réservées aux cadres pouvant déjà justifier de quelques années d'expérience professionnelle. Vous les connaissez et vous y songer ? Parlez-en, et d'une manière générale, si vous espérez un jour reprendre un cycle d'études, insistez sur le fait que les études en question seront en phase avec votre vie professionnelle.*

Vous êtes autodidacte ?

Pas de diplôme, et alors ? C'est certainement un handicap dans la course à l'emploi, mais le temps des complexes est terminé. Il s'agit moins de dire pourquoi vous n'avez pas fait d'études que de souligner que vous avez fait d'autres choses à la place, au moins aussi intéressantes.
Alors embrayez aussitôt sur les stages ou, qui sait, les expériences professionnelles à part entière. Si un élément bien particulier vous a contraint à abréger très vite vos études, par exemple la nécessité de gagner de l'argent, faites-le savoir.
L'absence de diplôme, devant un recruteur, est la marque d'un profil atypique. Or, vos interlocuteurs ont vu passer tellement de candidats façonnés par le même moule que votre parcours va forcément les faire réagir. Vous devez leur prouver que la capacité intellectuelle n'est pas forcément proportionnelle au nombre de diplômes. Ne vous excusez jamais : cette période que d'autres consacrent à cirer les bancs de l'Université vous a apporté un autre éclairage sur l'existence, en général, et le monde professionnel, en particulier. Insistez sur votre maturité, sur ce refus du cocon et des voies toutes tracées, sur votre aptitude à la confrontation sous toutes ses formes...

Variantes :
- *« Vous n'avez pas de diplômes ? »*
- *« Vous êtes fâché(e) avec les études ? »*
- *« Pourquoi cette absence de formation ? »*

2. Vos stages et vos expériences professionnelles

Quelles activités aviez-vous dans le cadre de la junior entreprise ?

Vous avez travaillé dans une JE, tant mieux ! Les recruteurs raffolent de ce genre d'expérience. Seulement, vous n'êtes pas le(la) seul(e) et il ne suffit pas de sauter sur sa chaise comme un cabri en disant «la junior entreprise», «la junior entreprise», pour qu'on vous considère instantanément comme un futur cadre dynamique. Car, au fil du temps, vos interlocuteurs ont appris à connaître les rouages de ce genre d'activités. Ils savent que certaines JE sont hautement performantes et qu'on y apprend énormément de choses, ils savent aussi que d'autres ont un champ d'intervention assez restreint.
Donc **il ne faut pas se limiter à afficher sa présence dans une JE,** il s'agit aussi de parfaitement raconter les activités exercées, au même titre qu'on détaille le contenu d'un stage ou d'un emploi. Et tant qu'à faire, montrer comment cet apprentissage au sein de la JE peut vous aider dans l'appréhension du poste et de l'entreprise. Cette activité ne doit pas apparaître comme un événement ponctuel au cours de votre scolarité. Ayez le souci de la mettre en perspective, de la considérer comme un apprentissage qui ne demande aujourd'hui qu'à être validé par une véritable expérience professionnelle.

Variantes :
- *« Quels enseignements retirez-vous de votre participation à la junior entreprise ? »*
- *« Pourquoi cet investissement dans la junior entreprise ? »*

A côté de la plaque :
- *« On était une bande de jeunes, on s'éclatait. »*
- *« En quelques mois, on est devenu les rois du pétrole. »*
- *« La junior entreprise, c'est l'entreprise sans les contraintes. »*

A noter :

- *Beaucoup de junior entreprises travaillent régulièrement avec des entreprises. Une réflexion pertinente sur la nature des échanges entre les unes et les autres sera considérée à sa juste valeur, à condition de ne pas tomber comme un cheveu sur la soupe.*

Grâce à qui avez-vous trouvé ce stage ?

Faut-il ou non avouer qu'on a bénéficié d'un petit (ou gros) coup de piston pour trouver son stage ? *A priori* non : il est tellement plus valorisant de souligner que seule une recherche personnelle a permis de décrocher ce stage longue durée dans cette multinationale archi-connue. Mais il faut se méfier des *a priori*.

D'abord les recruteurs ne sont pas dupes : ils savent bien qu'aujourd'hui, la recherche d'un stage ressemble à une véritable course d'obstacles. Comme pour un emploi, il faut écrire, téléphoner, passer des entretiens puis, si le stage est confirmé, travailler d'arrache-pied pour tâcher de mettre un petit orteil dans l'entreprise. Ensuite, les recruteurs savent lire un CV : ils sauront deviner, le cas échéant, que votre environnement social vous prédispose à certains appuis. L'exemple de Stéphane est révélateur : « *J'ai passé neuf mois dans le service juridique d'un groupe agroalimentaire. Au cours de l'entretien, on m'a interrogé sur la profession de mon père. Celui-ci est avocat dans un cabinet qui, justement, intervient souvent aux côtés de ce groupe agroalimentaire. L'un des deux recruteurs connaissait cette association et j'ai dû admettre, penaud, que cette interaction avait bien facilité l'obtention de mon stage alors qu'un peu plus tôt j'avais soutenu m'être débrouillé tout seul pour trouver tous mes stages.* »

Si vraiment votre stage vous a passionné, il serait dommage d'altérer la qualité de cette expérience en faisant croire que vous l'avez décroché sans piston. Alors répondez franchement et enchaînez sur le descriptif du stage. S'il s'agit d'un stage mineur dans votre parcours, passez vite : devoir justifier d'un piston pour n'effectuer que des tâches subalternes n'a rien de très glorieux.

A côté de la plaque :

- « *Aujourd'hui, on n'a rien sans piston.* »
- « *Vous me prenez pour qui ?* »
- « *Je ne compte que sur moi, jamais sur autrui.* »
- « *Vous savez que je connais du monde ici.* »

Décrivez-moi une journée de travail au cours de ce stage...

L'arme absolue anti-« stage-cafetière » (stage consistant à préparer et servir le café lors de la pause du même nom, voire également « stage-photocopieuse ») de tout recruteur ! Ici encore, la question est évidemment à double tranchant : la synthèse que vous opérerez en racontant par le menu une journée-type de votre stage chez ParthénoPulp ne manquera pas de fournir à votre interlocuteur de précieuses indications sur ce que vous aurez retenu du traitement des céphalopodes à ventouses, mais aussi sur votre capacité à organiser votre travail, votre emploi du temps... Montrez-vous précis et « **pointu** », bref « **professionnel** » dans la mesure du possible. Soignez les détails : vous allez devoir convaincre de la réalité de ce fameux « stage en tant que consultant junior en parthénogenèse du poulpe » !
A titre indicatif, une statistique édifiante : le tiers des CV reçus par les professionnels du recrutement s'avèrent plus ou moins « bidons »... Ce chiffre ne constitue bien entendu en rien une incitation au pipeau... (voir ci-dessous : « A côté de la plaque »)

A côté de la plaque :
• **Tricher sur les dates :** *sachez que rien n'est plus aisément vérifiable auprès d'une entreprise que les dates d'entrée et de sortie d'un stagiaire. Ce type de vérification de routine est d'ailleurs monnaie courante dans les cabinets spécialisés. Un conseil : jouez franc-jeu ou exposez-vous à un retour de flamme des moins agréables (« Je découvre avec étonnement que le semestre dure deux mois chez ParthénoPulp... Pouvez-vous éclairer ma lanterne ? »)*
• **Les fameux stages aux Etats-Unis :** *invérifiables donc invariablement louches, à moins d'être dûment validés. Vous ne vous grillerez pas (du moins pas encore), mais vous allez semer le doute... Sans compter les innombrables questions qui vous attendent. Bon courage !*

Quel a été votre stage le plus difficile ?

Les professionnels du recrutement sont formels : c'est l'expérience professionnelle accumulée par les candidats qui leur fournit l'essentiel de la matière à partir de laquelle ils vont arrêter leurs choix. « *Si un candidat a déjà prouvé par le passé qu'il était capable de remplir un certain type de mission, on sera enclin à supposer tout naturellement qu'il est apte à s'acquitter de missions identiques. Par contre, travailler sur des projections dans l'avenir ne nous fournira que des intuitions ...* ».

Voilà un point crucial clarifié : les stages que vous aurez effectués vont constituer, plus que les diplômes que vous aurez obtenus, le terrain sur lequel vous allez pouvoir convaincre votre interlocuteur. Crucial, le point l'est d'autant plus que, bien souvent, ces stages seront – et pour cause – la seule expérience professionnelle qu'un jeune diplômé pourra faire valoir lors d'un entretien de – première – embauche.

Sans stage, point de salut ? Bien possible : « *Un universitaire sans stage peut se révéler académiquement très compétent, l'entreprise n'en attendra pas moins des compétences d'ordre professionnel : comment les valider en entretien si le candidat ne dispose pas d'expérience à me présenter ?* » confie ce directeur associé d'un cabinet de recrutement parisien... Bref, la cause est entendue : ne serait-ce que parce qu'ils constituent la matière première sur laquelle va travailler votre interlocuteur, **les stages vous seront indispensables...**
Des stages, d'accord, mais lesquels ? Une fois encore, c'est votre discernement qui va être jaugé, vos capacités d'autoévaluation et de jugement qui vont être mises à l'épreuve. Insister sur des caractéristiques précises de votre expérience va permettre à votre interlocuteur, d'une part d'éviter toute langue de bois prémâchée (« *Avec le recul, j'estime que mon expérience de la mise sous pli m'a beaucoup apporté, tant sur le plan humain que sur le plan professionnel* »), d'autre part de vous obliger à juger, comparer, choisir... D'où les formulations à base de « le plus enrichissant/pénible/formateur/difficile ».

Un conseil : lorsque vous ferez le point sur vos expériences, prenez le temps de noter (les écrits restent, c'est bien connu) les avantages et inconvénients de chaque job, stage universitaire ou autre. Les spécificités se dégageront d'elles-mêmes. Quel intérêt présente le stage ? Quelles difficultés avez-vous rencontrées ? Quelles compétences avez-vous acquises ?

Votre interlocuteur cherchera avant tout à vous faire exprimer votre point de vue. Préparez-vous donc en conséquence, sans pour autant vous échiner inutilement à chercher l'hypothétique « difficulté idéale » : le fait que vous puissiez répondre à ce type de questions constituera en soi un point positif. A vous d'éviter les faux pas du type « *Je devais me lever en pleine nuit... vers 8h30 !* ».

Un peu de bon sens tout de même : veillez à n'évoquer que les difficultés que vous aurez surmontées. Pas la peine d'alarmer votre interlocuteur en lui donnant à penser que vous lâchez la rampe dès le premier obstacle.

Un candidat averti en vaut deux : les questions de type « le plus... » masquent souvent un « double-fond ». Questions « à tiroirs », elles vont offrir à votre interlocuteur plus de réponses que vous ne croiriez en fournir... En répondant à la classique « *Quel a été votre stage le plus difficile ?* », par exemple, vous lèverez le voile au moins autant sur votre notion de la « difficulté » en règle générale, que sur les difficultés effectivement rencontrées au cours de ce fameux stage de mise sous pli à la répétitivité éreintante... Rien de bien grave, cependant, si ce n'est qu'il va vous falloir penser également à rester cohérent !

Variante :
• « *Quel a été votre stage le plus enrichissant ?* »
Idem : choisissez et argumentez.

Pourquoi n'avez-vous pas effectué de stage à l'étranger ?

Beaucoup de recruteurs ne jurent plus aujourd'hui que par les stages à l'étranger. Comment leur donner tort ? Décider de franchir les frontières, même dans le cadre d'une brève expérience, implique une réelle faculté d'adaptation. Vous n'avez pas eu cette opportunité, alors justifiez cette carence. Les raisons ne manquent pas : priorité à une expérience pointue dans un contexte précis, richesse de vos stages en France, formation internationale...

Bref, démontrez que la logique de votre parcours exigeait d'abord et avant tout des stages en France, ou montrez que vous avez déjà une expérience internationale suffisamment conséquente pour avoir décidé de rester ici.

Certes, ni les voyages, ni la bonne connaissance des langues, ne peuvent se substituer à un stage à l'étranger, mais au moins vous ne collez pas à l'image « béret sur la tête et baguette à la main. »

Variantes :

- *« Professionnellement, vous n'avez pas l'esprit voyageur ? »*
- *« Vous teniez absolument à faire tous vos stages en France ? »*
- *« Vous privilégiez une carrière dans l'Hexagone ? »*

A côté de la plaque :

- *« L'étranger, c'est plutôt pour les vacances. »*
- *« Je ne suis pas bon en langues. »*
- *« Un jour, je ferai le tour du monde. »*
- *« J'ai voté contre le traité de Maastricht. »*

Y avait-il une possibilité d'embauche à l'issue de ce stage ?

Restons sereins : pas question pour votre interlocuteur de vous braquer une lampe de 100 watts en plein visage pour vous faire avouer que vous n'avez pas retenu l'attention de l'entreprise qui vous a accueilli en tant que stagiaire... Ce stage était-il un stage de type « pré-embauche » ? Vraisemblablement non... Alors détendez-vous.

Ce stage constituait une première approche enrichissante du secteur, en aucun cas un engagement à long terme auprès de l'entreprise. Ce point a d'ailleurs peut-être été clarifié dès le début du stage. Mieux, vous avez refusé de poursuivre ce stage dans le cadre d'un poste en CDD ou en CDI, préférant diversifier votre expérience.

Dans tous les cas, pas de panique, le marché du travail étant ce qu'il est, aucun recruteur ne vous reprochera de n'avoir point été embauché(e) à l'issue d'un stage...

Pourquoi n'avez-vous pas franchi le cap de la période d'essai ?

Mince, vous aviez enfin trouvé du boulot, mais vous n'avez pas survécu au terme de la période d'essai. Que s'est-il exactement passé ? Aviez-vous toutes les compétences requises pour le poste ? Les relations avec vos collègues de travail se déroulaient-elles bien ? Donniez-vous toute satisfaction à votre supérieur hiérarchique ? **Un bilan s'impose pour vous permettre d'y voir plus clair** et ainsi rebondir dès le prochain entretien.
Quand le recruteur retourne ce couteau dans la plaie, ne lui donnez pas des verges pour, en plus, vous faire fouetter. Ne remettez pas en cause votre potentiel, dites simplement que dans ce contexte précis, il a rencontré des problèmes pour s'exercer pleinement. Dites ce qui vous a manqué pour vous installer dans la fonction, que l'exigence de résultats, quoique légitime, était très importante, que c'est une expérience comme une autre dont vous allez tirer les leçons. Mot d'ordre : « *après un coup d'essai, le coup de maître.* »

Variantes :

- *« J'ai l'impression que votre précédente expérience s'est interrompue prématurément... »*
- *« Qu'est-ce qui n'allait pas chez votre dernier employeur ? »*
- *« La période d'essai est-elle pour vous un mauvais moment à passer ? »*

A côté de la plaque :

- *« J'ai quand même réussi à tenir trois mois. »*
- *« Je vous promets, je vais rester plus longtemps chez vous. »*
- *« Moi je faisais l'affaire, mais pas eux. »*

Si je prends des références chez votre ancien employeur, que va-t-il me dire sur vous ?

Premier objectif de la question : fournir une occasion à votre interlocuteur de guetter votre réaction. Semblez-vous gêné ? Contrarié ? Si oui, tout porte à croire que cette dernière expérience n'était finalement pas si réussie que ça... Attendez-vous à une fouille approfondie sur ce thème...

Deuxième objectif, pas si redoutable que ça : recueillir vos propres impressions sur cette dernière expérience. Soyez positif mais n'en rajoutez pas (« *Il vous dira sans aucun doute qu'il regrette mon départ et que j'étais l'un des meilleurs éléments de l'équipe. Je le comprends ...* ») : exprimez objectivement votre sentiment sur votre collaboration, faites part au recruteur de l'avis positif éventuellement émis à votre propos par votre ancien employeur.

Et si vous ne vous entendiez guère avec votre ancien patron ? N'insistez pas sur ce thème. Evoquez ses qualités sur le plan strictement professionnel et dites que votre employeur reconnaît les vôtres. Point.

A côté de la plaque :

• *« Il va vous dire du mal de moi, c'est sûr. Après le coup que je lui ai fait ... ». Voilà qui est clair : en vous embauchant, on peut s'attendre au pire ...*

• *« Vous feriez ça ? Même pas cap' ! ». Bien sûr qu'on le ferait, ne jouez surtout pas à ce jeu-là ...*

Que pensez-vous de votre ancien employeur ?

A travers cette question perfide, votre interlocuteur subodore que les relations ont été un peu tendues entre votre précédent employeur et vous-même. Il guette avec intérêt la réponse pour savoir si lui aussi, ou l'entreprise qu'il représente, court le risque de quelques frictions. Quand bien même vous avez quitté votre dernière situation en claquant la porte, une page est tournée. L'ambiance ne doit pas virer au règlement de comptes, surtout face à une personne qui ignore tous les tenants et aboutissants.

Aussi soyez plutôt louangeur dans l'appréciation de votre dernier patron. Des qualités comme « **sérieux** », « **raisonnable** », « **organisé** » ou « **compétent** » sont suffisamment passe-partout pour que le recruteur passe rapidement à un autre sujet. En revanche, si vous utilisez des adjectifs plus évocateurs comme « passionnant », « stimulant » ou « perfectionniste », la conversation risque de durer. Et pour cause, quand vous parlez d'un employeur à un recruteur, c'est aussi du recruteur dont vous parlez car ce dernier a vite fait d'effectuer une projection. Donc, ne donnez pas trop de détails, une question de ce type ne vous met pas en valeur.

A côté de la plaque :

- *« Il m'en a fait voir de toutes les couleurs. »*
- *« J'aurais dû prendre sa place. »*
- *« Il ne me considérait pas à ma juste valeur. »*
- *« Vous le verriez, vous comprendriez tout de suite. »*

PARTIE II

QUI ÊTES-VOUS ?

1. Votre personnalité

Où sont vos racines ?

« *C'est la question que j'aime bien* », précise d'emblée un directeur de cabinet de recrutement, « *elle n'a l'air de rien, mais sa réponse peut se montrer extrêmement révélatrice d'un comportement ou d'une personnalité. Sans tomber dans la psychologie de bazar, on déduira chez un candidat originaire du Nord de la France des qualités différentes que chez un candidat du Sud. D'une façon générale, j'apprécie les gens qui n'ont pas peur de s'étendre sur leurs racines. Cela ouvre souvent de nouvelles perspectives à l'entretien, parfois très riches.* »

« Racines » : le mot semble parfois un peu vague. En effet, il peut aussi bien renvoyer à une provenance géographique qu'à un environnement social.

Un conseil : prenez le terme au pied de la lettre, ne vous éloignez pas trop de l'enracinement dans une région ou un pays, bref, parlez d'un contexte qui ne soit pas trop sociologique et reliez-le à votre parcours. Cela évite de rentrer dans des contingences personnelles qui ne sont pas l'objet de l'entretien.
Par exemple, si vous avez grandi dans un quartier défavorisé, inutile d'en faire expressément mention, sauf si on vous invite à vous exprimer sur votre enfance. Vous n'êtes là, ni pour montrer que vous vous êtes élevé à la force du poignet, ni pour faire pleurer Margot. La question sur les racines sert à apprécier si vous avez des points de repère, un socle sur lequel vous appuyer. Même si vous n'avez pas le sentiment d'avoir des attaches particulières, évitez une réponse brutale. Savoir se retourner sur son passé et savoir en parler sont souvent des signes de maturité.
Par ailleurs, l'entreprise qui vous a contacté(e) a peut-être elle-même des racines profondes dans telle ou telle région. Montrez que vous connaissez sa part d'histoire et dites combien les traditions, même dans le monde économique, peuvent se révéler

importantes. On connaît beaucoup d'entreprises qui sont aujourd'hui de grands groupes avec des filiales, mais qui n'ont pas oublié leur point d'ancrage au point de conserver leur siège social dans leur ville d'origine.

A côté de la plaque :

• *Des relents nationalistes ou régionalistes trop exacerbés. Un entretien n'est pas un meeting politique. Ensuite, vous ne connaissez pas les convictions de votre interlocuteur. Qui sait, vous risquez peut-être de le heurter et dans sa tête, l'entretien s'arrêtera dès ce moment-là.*

A noter :

• *La question sur les racines permet au recruteur de s'éloigner du cadre souvent très formaté du CV. Elle est très ouverte et donne les moyens au candidat de dévoiler un aspect original de sa personnalité. Alors soyez suffisamment enthousiaste pour donner l'envie au recruteur d'en savoir plus sur vous. S'il enchaîne sur une autre question ayant trait aux racines, c'est que vous avez réussi votre coup : vous l'intéressez bel et bien.*

• *N'en faites pas trop : démesurément attaché à votre région d'origine, vous donnez le sentiment d'être peu mobile. Or, la mobilité est l'une des caractéristiques les plus importantes lors du recrutement de jeunes diplômés.*

Quel est le parent qui a eu le plus d'influence sur vous ?

L'orientation pseudo-psy de ce type de question divise les professionnels du recrutement. D'aucuns jugeront le sujet opportun et révélateur. D'autres, estimant que psychanalyse et entretien d'embauche ne font pas bon ménage, renverront Œdipe et ses amis à leur divan que, selon eux, ils n'auraient jamais dû quitter.

Quoi qu'il en soit, vous pourrez être amené(e) à rencontrer un recruteur versant dans la psychologie, ou plus simplement à la recherche de votre « tiers privilégié ». **Une seule parade : la nuance.** En identifiant instantanément telle ou telle personne (parent, ami...) comme exerçant – ou ayant exercé – une influence déterminante sur votre comportement ou ayant significativement orienté vos choix, vous réduirez d'autant la crédibilité de votre propre personnalité. Un seul leitmotiv recommandé : **vous êtes votre propre modèle, riche de ce que vous a apporté votre entourage**. Point.

Laissez de côté sans regret la pression exercée par votre père *(« Deviens ingénieur, et tu seras un homme, mon fils... »)*, ainsi que les conseils insistants prodigués par votre mère *(« Chez les Quaef, on est dans le commercial depuis six générations, tu vois ce qu'il te reste à faire... »)*. En résumé : se voir prodiguer quelques conseils utiles, d'accord ; vivre sous influence, non.

A côté de la plaque :

• *« Aucun ! Je me suis fait tout seul ! » N'exagérons rien. Un peu de reconnaissance tout de même. Biologiquement impossible, de surcroît.*

Etes-vous célibataire ?

Sous-entendu, le cas échéant : êtes-vous un « vrai » ou un « faux » célibataire ? Bien entendu, vous aurez pris soin de mentionner « Marié(e) » ou « Célibataire » sur le CV que votre interlocuteur aura sous les yeux lors de l'entretien. Bien entendu, ce degré de précision ne suffira pas...

Vivez-vous avec quelqu'un ? Avez-vous une relation suivie avec cette personne ? Autant de questions, certes quelque peu indiscrètes, mais qui n'en présentent pas moins une importance capitale pour l'entreprise que vous rencontrez. De fait, « Vrai(e) ou faux(sse) célibataire ? », la question présente pour l'entreprise un aspect des plus calculateurs et, une fois n'est pas coutume, les « faux » célibataires auront tout intérêt à noyer le poisson en minimisant la place de leur fiancé(e). Cynisme ? Non : **jeune diplômé(e) et « vrai(e) » célibataire, vous allez intéresser l'entreprise pour différentes raisons.**

La première : vous êtes mobile. Le « vrai » célibataire n'a – *a priori* – pas (ou peu) d'attaches. Les voyages formant la jeunesse, vous êtes fin prêt(e) à partir prospecter le Massif Central pour le compte de la société. Rien d'anormal d'ailleurs : rares sont aujourd'hui les jeunes diplômés trouvant du travail dans la région de leurs études.

La deuxième : « vrai(e) » célibataire, l'entreprise parie sur vous pour ne pas avoir à vivre l'un de ses pires cauchemars. Vous ne partirez pas en Asie du Sud-Est, suivre un(e) fiancé(e) spécialisé(e) dans l'export et dont le poste se sédentarise définitivement à l'autre bout du monde, et ce, six mois seulement après votre recrutement, n'est-ce pas ?

La troisième : « faux » célibataire, vous vivez dès à présent en couple, et ce jeune ménage à toutes les chances (c'est en tout cas tout le mal que nous vous souhaitons) de convoler en justes noces... et de réduire encore votre mobilité potentielle.
Ce qui nous amène tout naturellement à la question subsidiaire : « *Que fait votre conjoint /ami(e) ?* »...

Que fait votre conjoint/ami(e) ?

L'objectif principal de cette question est on ne peut plus simple : déterminer si oui ou non la personne avec laquelle vous vivez travaille pour la concurrence !

N'exagérons rien : accessoirement, savoir dans quel secteur votre ami(e) évolue, quel poste il ou elle occupe, aidera le recruteur à mieux cerner votre environnement quotidien. Néanmoins, pas question d'occulter l'essentiel : quels sont les risques que court l'entreprise en vous embauchant ?

Si vous sentez qu'une réponse détaillée de votre part risque de compromettre votre succès, un conseil : répondez, mais restez évasif.

A côté de la plaque :

• *La séquence suivante :*

« - Etes-vous célibataire ?
- Oui, bien sûr...
- Vous n'avez pas de petit ami ?
- Non, non, ...
- Et que fait votre ami ?
- Il est ingénieur commercial chez ParthénoPulp, pourquoi ? »

Comptez-vous avoir des enfants ?

La question est en général réservée aux jeunes femmes. **Attention, terrain glissant** ! Synonyme de démotivation, de manque d'implication, mais aussi de remplacement temporaire, ajustements et réorganisation, force est de le constater, la maternité n'est pas en odeur de sainteté dans l'entreprise.

Soyons clairs : un « *Oui, le plus tôt possible !* » sera synonyme d'**obstacle à l'embauche.** Difficile pour un recruteur de le reconnaître, mais souhaiter avoir un ou des enfant(s) se révélera bien souvent un critère discriminant pour la jeune candidate. Agaçant, certes, mais du coup, l'ellipse s'impose : pas la peine de se « griller » en affichant tout de go le souhait de fonder une famille nombreuse !

Contournez plutôt l'obstacle : des échappées du type « *Cela ne fait pas partie de mes projets à court terme* » ou « *La maternité est une responsabilité que je ne me sentirai prête à assumer que lorsque ma situation sera stabilisée...* » pourraient constituer des réponses acceptables. L'essentiel restant de rassurer votre interlocuteur et de ne rien avancer en la matière qui puisse déprécier la valeur de votre candidature du point de vue de l'entreprise...

Gardez donc pour vous le souhait de devenir une heureuse maman le plus tôt possible et noyez le poisson du mieux que vous pouvez. **Vous devez apparaître disponible et motivée**, deux caractéristiques peu compatibles, selon l'entreprise, avec l'exercice de la maternité...

A côté de la plaque :

• *« Oui, c'est même mon souhait le plus cher ! » : c'est gagné, vous présentez le parfaite image de la mère au foyer... Oubliez, un recruteur dans l'exercice de ses fonctions ne se montrera guère réceptif à ce type de profil.*

Avez-vous de nombreux amis ?

Question toute personnelle et qui permet au recruteur de **mesurer votre degré de sociabilité** et par là même d'en tirer quelques enseignements sur votre capacité à travailler en équipe. Pas la peine de vous inventer toute une cour d'amis qui s'extasient régulièrement sur vos mérites, ce serait complètement ridicule. Dans les amitiés, la quantité importe moins que la qualité. Alors dites en peu de mots, mais bien sentis, toute cette richesse (au sens moral du terme) que vous apportent vos amis.

Employez les termes **« échange », « confrontation », « émulation », « entraide »**, autant de mots qui situent les amitiés sur des bases irréprochables. Dites aussi que les collègues de bureaux peuvent aussi devenir des amis, pour peu qu'on travaille main dans la main sur des dossiers importants.

N'en faites pas trop sur le sujet : dans les affaires, les relations entre amis déclenchent parfois des catastrophes. Néanmoins, votre façon d'envisager la vie professionnelle autrement qu'entouré(e) par des requins pourra séduire.

A côté de la plaque :
- *« Vous savez, dans la vie, on est toujours seul. »*
- *« Vous y croyez, vous, à l'amitié entre garçons et filles ? »*
- *« Passez me voir, on boira des coups. »*
- *« Ah, vous connaissez Machin. Moi aussi, ça tombe bien, les amis de mes amis sont mes amis. »*

Que pensent de vous vos amis ?

L'autre façon d'aborder vos points forts et vos points faibles : cette fois, le recruteur se place sur le terrain de la vie personnelle. Cela ne doit modifier en rien la réponse que vous allez lui fournir. Evoquez des aspects positifs ou négatifs de votre personnalité trouvant aisément une application dans votre vie professionnelle. La question est ouverte, et vous autorise à une petite disgression : êtes-vous enjoué(e), accueillant(e) ? C'est également l'occasion d'évoquer vos relations amicales et un pan agréable de votre vie privée.

Attention cependant au piège : poser cette question permettra à un professionnel habile de « reboucler » sur le thème **« qualités/ défauts »** après avoir écouté une réponse préparée et non satisfaisante. Voici donc un exemple typique des réactions que vous susciterez si vous ne faites pas preuve de suffisamment de spontanéité.

Un conseil dans ce cas : ne variez pas et évoquez les mêmes traits de caractère d'une question à l'autre. Vous donneriez sinon l'impression de livrer vos réels points faibles après avoir exposé une série de défauts politiquement corrects...

Définissez-vous en un mot…

Dans la série « Testons vos capacités de synthèse », voici l'exercice ultime : choisissez le mot qui résumera la quintessence de votre personnalité. L'exercice a de quoi effrayer : chacun sait que toutes les nuances d'une personnalité aussi complexe que la vôtre ne sauraient être évoquées aussi définitivement. Raison de plus pour foncer à l'essentiel sans états d'âme : *« Je pose cette question en fin d'entretien, pour valider définitivement la bonne impression qu'a pu me faire un candidat. C'est la cerise sur le gâteau, en quelque sorte… au fond, la réponse en elle-même n'a que peu d'importance, l'essentiel étant que le candidat réagisse relativement rapidement. »*

Cette question reste cependant une bonne occasion pour votre interlocuteur de comprendre définitivement ce qui vous fait « courir ». Alors oubliez évidemment les mots « négatifs » : pas de maladresses du type : *« Un mot ?… Echec ! »*.

En panne d'inspiration ? Ne cherchez pas bien loin : **reprenez tout simplement la qualité qui, à vos yeux, fait de vous un candidat intéressant** *(« Ténacité », « Créativité », etc)*. Simple et efficace. En revanche, si vous vous sentez particulièrement en verve, piochez du côté des concepts génériques qui cristalliseraient vos points forts. A votre discrétion…

Au final, **pas de quoi s'alarmer** : la marge d'erreur sur ce type de question est bien trop importante pour qu'un professionnel du recrutement y accorde un grand intérêt. Voyez plutôt le côté ludique de l'exercice, et pensez à la cerise sur le gâteau !

Etes-vous facile à vivre ?

Traduction : « *Allez-vous nous poser des problèmes de cohabitation avec vos futurs collègues ?* ». Facile à vivre ? Bien sûr que vous l'êtes ! Vous n'avez jamais connu de réelles difficultés à vous intégrer à une équipe. Vous estimez avoir plutôt bon caractère. Si vous avez partagé un appartement avec un ou deux amis durant vos années d'études, c'est le moment de parler de cette expérience et de ce qu'elle vous a apporté : **respect mutuel, répartition des tâches,** etc. N'en faites pas trop tout de même : on se passera aisément du détail de certains épisodes mémorables du style *« la fois où on avait fait une fête et où on avait retrouvé des bouts de pizza dans les rideaux »*.

Un conseil : insistez sur votre humeur égale. Il n'y a rien que l'entreprise redoute plus qu'un collaborateur sujet à des sautes d'humeur chroniques, inexplicables et inexpliquées *(« Sortez tous de mon bureau, je ne veux plus voir personne ! Non. Restez. Vous voulez un café ? »).*

Que vous soyez d'un naturel affable, d'accord, mais un peu « benêt », surtout pas : une phrase du genre *« Je rends volontiers service, mais je sais reconnaître un profiteur quand il se présente »* lèvera rapidement tout soupçon à ce sujet...

A côté de la plaque :

• *« Non. Je suis même réputé(e) pour mon sale caractère ! D'ailleurs, je commence à en avoir plus qu'assez de ces questions indiscrètes. Si vous continuez, je vous préviens, je m'en vais... ». C'est exactement ce que l'on allait vous proposer...*

Avez-vous le goût du risque ?

Dans quel sens doit être prise cette question ? Faut-il l'entendre sous l'angle de la vie privée, ou ne faut-il y voir que des connotations professionnelles ? L'idéal est que la réponse puisse concilier les deux. Attention au grand écart : trop souvent, les candidats croient qu'en évoquant leur appétit pour le risque sur un plan personnel – « *je fais régulièrement du saut à l'élastique* » – et leur refus du risque sur le plan professionnel – « *on ne dépense que ce qu'on a en caisse* » –, ils vont ménager la chèvre et le chou : autrement dit, apparaître à la fois comme personnalité aventureuse (avec ce que cela implique comme caractère et originalité) et comme cadre d'entreprise rigoureux et avisé. Trop suspect pour être vrai. Dites plutôt que vous avez pour toutes choses le goût du risque mesuré, c'est-à-dire du **risque objectif**, celui dont on décide après avoir examiné tous les tenants et aboutissants de la situation. Et bien sûr, illustrez votre propos, à travers par exemple la présentation de quelques jolis (et récents) coups économiques. Vous ne devez apparaître ni comme un apôtre du risque ni comme un défenseur à tout crin du bas de laine. Exercice plus difficile qu'on le croit et qui nécessite un ton persuasif.

A côté de la plaque :
- « *Il faut du piment dans la vie.* »
- « *Je vais souvent au casino.* »
- « *L'économie, à un certain niveau de décision, ça ressemble à la roulette russe.* »

Bien vu :
- *Documentez-vous soigneusement sur l'entreprise à laquelle vous rendez visite. Peut-être reste-t-elle sur des coups fumants, réussis ou pas. Montrez que vous en avez eu des échos, et si vous vous en sentez capable, faites des commentaires.*
- *Une valeur sûre : la comparaison avec le cascadeur. Le risque est un élément incontournable mais il est minimisé grâce à une préparation minutieuse.*

Chez vous, l'enthousiasme précède-t-il toujours la réflexion ?

On vous l'a déjà dit : la fougue de la jeunesse ne suffit plus ! Il vous faut également vous montrer mature, réfléchi(e)... N'allez pas traduire cette question par un *« Etes-vous enthousiaste ? »* trop simpliste ! De cela, votre interlocuteur aura eu tout loisir de se rendre compte au cours de l'heure et demie que vous aurez passée ensemble.

En revanche, il peut se révéler intéressant de **cerner votre conception de l'enthousiasme.** Où se situe pour vous la limite ? Trop de spontanéité ne risque-t-elle pas de vous amener à prendre des décisions que vous regretterez ? Saurez-vous tempérer votre enthousiasme au moment de prendre une décision délicate méritant que l'on s'y attarde quelque peu ?

Montrez-vous mesuré(e) et expliquez que l'on doit en permanence **maintenir l'équilibre entre spontanéité réactive et lucidité réfléchie.** Fonceur d'accord... mais pas dans le mur ! A quoi sert d'agir vite si c'est pour commettre une erreur ? En résumé : dégagez vous de l'image du « jeune chiot fougueux » et montrez que, pour vous, un enthousiasme démesuré devient vite un défaut.

Ne versez pas dans l'excès inverse : **vous réfléchissez vite et bien.** L'exemple du joueur d'échecs est assez parlant : la première catégorie de joueurs enchaîne les coups au hasard et sans stratégie globale, la deuxième pèse mûrement chaque décision... et perd systématiquement une partie chronométrée, la troisième – les meilleurs, bien entendu – élabore une stratégie globale rapidement, et sait jouer tactique dans le feu de l'action...

Bien vu :

• *« Ma position actuelle est un bon exemple de l'équilibre nécessaire entre spontanéité et réflexion : j'essaie d'être le plus spontané possible tout en répondant de façon pertinente. C'est en tout cas ma conception, de mon point de vue bien entendu, d'un entretien réussi... ». L'exemple est parlant et vous montrez au passage votre capacité à analyser la situation que vous vivez en direct live : joli coup !*

Etes-vous ponctuel(le) ?

Avec un peu de malchance, vous êtes arrivé(e) en retard à l'entretien et le recruteur vous a repris au bond. Ne vous démontez pas, tout le monde a le droit d'être en retard, mais préparez-vous une bonne excuse. Pour un premier contact, dire que le réveil n'a pas sonné ou que les transports en commun ne marchent pas risque de produire une fâcheuse impression.

Fort heureusement, vous êtes arrivé(e) à l'heure à l'entretien et la question n'a pas pour but de vous mettre mal à l'aise. Toutefois, ne mettez pas en avant votre ponctualité du jour, le recruteur vous fera sans doute valoir qu'il s'agit de la moindre des choses. Et il aura raison : **quand on cherche du boulot, on a plutôt intérêt à avoir une montre.**

Répondez-lui que oui, vous êtes ponctuel(le) et cherchez aussitôt à élargir le propos. Dites-lui que **la gestion du temps est un ingrédient important dans la réussite d'une carrière professionnelle**, que vous ne stressez pas devant la perspective d'un travail à rendre rapidement, et que, pour vous, le respect passe aussi par la ponctualité. Précision : si le recruteur vous a reçu avec 30 minutes de retard, cela peut se produire, évitez d'insister trop lourdement. Une susceptibilité mal placée peut jouer des tours.

Si cela se trouve, le poste que vous visez exige un respect scrupuleux des horaires. C'est d'ailleurs souvent la principale raison de cette question. Montrez donc que vous avez bien saisi les exigences du travail dans ce domaine, tout comme Bruno, ingénieur de production chez un équipementier automobile : « *La question était encore plus précise, on m'a demandé si j'avais une horloge dans la tête. Normal, il y a dans cette entreprise des cadences à tenir et je me doutais que l'usine où j'avais des chances d'aller travailler rencontrait des problèmes à honorer les approvisionnements en temps et en heure. Je me suis lancé dans un exposé sur les contraintes des horaires dans l'industrie tout en énonçant quelques moyens, lus auparavant dans la presse pour y remédier. Je crois que j'ai fait mouche.* »

Par ailleurs, une question sur votre ponctualité sous-entend peut-être une interrogation sur votre **capacité à faire des heures supplémentaires**. C'est un biais pour vous demander si vous êtes du genre à regarder sans arrêt votre montre. Dites alors que vous n'êtes pas avare de votre temps de travail, quitte à rester tard au bureau quand les conditions l'exigent.

Avez-vous un gros train de vie ?

« Ah, je savais bien que le costume en lin, la gourmette en or et la Rolex, ça allait finir par faire un peu trop. » Rassurez-vous, sauf exception, ce n'est pas votre apparence extérieure que stigmatise le recruteur en vous interrogeant de la sorte. Simplement, pour préparer le terrain de la discussion autour de la rémunération, il peut s'aventurer dans ce domaine qui n'est pas si personnel que ça. En effet, un vendeur qui avoue un train de vie conséquent, c'est plutôt bon signe quant à sa motivation. On sait qu'il fera le maximum pour décrocher des bons contrats et ainsi obtenir des commissions conséquentes. Et que dire d'un expert-comptable ou d'un avocat ? N'est-ce pas le meilleur aiguillon pour faire tourner le cabinet à plein ?

Evidemment, ne revendiquez aucun luxe ostentatoire. Les gros besoins, surtout s'ils apparaissent un peu gratuits, risquent de vous donner auprès du recruteur une image peu sympathique. Sachez seulement que pour certaines professions qui font de la rémunération au pourcentage un élément moteur, on ne se déconsidérera pas en affichant quelques exigences.

Variantes :

- *« Vous dépensez environ combien par mois ? »*
- *« De combien quelqu'un comme vous a-t-il besoin pour vivre ? »*

A côté de la plaque :

- *« Entre mes trois châteaux, mon écurie de chevaux de courses et mon yacht, ce ne sont pas les dépenses qui manquent. »*
- *« Vous vous rendez compte, les impôts ont encore augmenté. »*
- *« Je ne conçois pas un hiver sans sports d'hiver. »*
- *« C'est bien simple, pour tout, il me faut le meilleur. »*

Savez-vous tenir un budget ?

La question peut être considérée sur deux plans : **le plan personnel** d'une part, **le plan professionnel** d'autre part. Sauf si on vous y invite expressément, le plan personnel devra rester dans l'ombre. A quoi bon avouer que toutes vos économies passent dans l'achat de disques de rap ou dans des voyages à l'autre bout du monde pour aller voir votre moitié ? Votre interlocuteur en profiterait pour tirer des conclusions qui ne s'imposent pas.

Abordons le plan professionnel : l'idéal consisterait à ce que vous ayez déjà tenu les cordons de la bourse de certains projets. Comme ça au moins, vous pouvez étayer vos propos par des exemples concrets. Le recruteur ne s'attend pas à discuter avec un expert-comptable, il creuse votre sens de la gestion. La réponse l'intéresse quel que soit le poste auquel vous postulez. *« Quand les gens se mettent à parler d'argent, constate un analyste-crédit, on perce assez vite leur caractère. Il y a ceux qui font de grandes théories, brillantes parfois, mais fondées sur rien. Ceux-là, on est sûr qu'il leur faudra longtemps avant de pouvoir accompagner un projet ou une réalisation sur le plan financier. »* Montrez que vous avez le sens de l'argent, que vous savez que l'investissement est une valeur clé de la croissance économique.

Prudence et audace : ces deux notions doivent coexister dans votre exposé. Trop prudent(e), on dira que vous êtes trop replié(e) sur vous même, trop audacieux(se), on pensera que vous n'assurez pas vos arrières. Faites référence au secteur économique qui sert de toile de fond à votre entretien : si l'entreprise qui vous contacte a perdu récemment des millions, ne prenez pas cet exemple précis ; parlez plutôt du secteur en général qui exige des réorientations.

A côté de la plaque :

- *« Quand on aime, on ne compte pas. »*
- *« Je ne suis pas comptable de formation. »*
- *« Je ne suis pas un homme d'argent. »*
- *« C'est fou ce que la vie coûte cher aujourd'hui. »*
- *« Les entreprises jettent l'argent par les fenêtres. »*

Vous avez quinze euros à votre disposition, qu'en faites-vous ?

Voilà une bonne façon pour votre interlocuteur d'en apprendre énormément sur vous en très peu de temps. De plus, il garde ici l'avantage de la surprise (à moins que vous n'ayez lu ce guide, bien sûr...).

Décodons : **il s'agit pour le recruteur de mieux vous cerner en évaluant votre approche de l'argent** : comment le dépensez-vous ? A quoi le dépensez-vous ? Malgré les apparences et la relative modicité de la somme, vous serez bien avisé(e) de prendre la question au sérieux : au cas où l'entreprise projetterait de vous confier des budgets importants, gageons que le recruteur n'hésitera pas à extrapoler et à tirer des conclusions essentielles à partir de la réponse fournie...

Investissement ? Epargne ? Dépense non recouvrable ? En premier lieu, optez pour des dépenses dont vous pourrez espérer un retour sur investissement à plus ou moins long terme. Ensuite, faites confiance, pour une fois, au bon sens populaire en ne plaçant pas tous vos œufs dans le même panier. Structurez votre budget de façon cohérente en gardant à l'esprit votre objectif : **faire fructifier la somme**. Enfin – solution idéale – essayez de construire un projet et exposez la cohérence de votre raisonnement.

A côté de la plaque :

• *« J'offre une tournée générale ! » : noble et bonne intention, sûrement l'une de celles dont l'enfer est pavé ! En tout cas, sachez que la probabilité pour que votre interlocuteur soit sensible à un tel élan de générosité reste des plus faibles... Bref : très risqué.*

• **Bien vu :**

« J'achète un quotidien afin de consulter les cours de la bourse, j'investis sept euros en actions, et je place le reste sur un compte-épargne... ».
Quoi qu'il en soit, ne dépensez jamais la totalité de la somme à perte. Reste que la validité du jugement porté sur vous à partir d'une telle question n'est pas démontrée.

Avez-vous un idéal dans la vie ?

« *Oui, le travail* ». Vous plaisantez ou quoi ? Personne n'attend que le boulot pour lequel on vous a contacté comble votre existence. Cette question, un brin existentielle, donne soudain un peu de hauteur de vue à l'entretien. Elle vous demande une réelle capacité d'abstraction, surtout quand une demi-heure durant, vous venez de parler de stages, d'études ou encore de rémunération. La tentation est grande alors de se réfugier dans les limbes, de sortir quelque chose d'un peu saugrenu qui réveille votre interlocuteur. Evitez les transitions trop brutales, les propos philosophiques comme les envolées lyriques ; dites quelque chose de raisonnable comme votre volonté de vous réaliser, tant sur le plan de la vie professionnelle que de la vie privée. Cela ne mange pas de pain et cela dénote chez vous un profil équilibré. **Ne voyez pas de piège dans cette question : nous sommes seulement dans le registre de la curiosité bien placée.**

A noter :

• *Avoir un idéal ne signifie pas être idéaliste. Attention, trop de gens mélangent les significations. Or, l'idéalisme fait rarement bon ménage dans la vie professionnelle, où le pragmatisme et l'efficacité sont deux vertus beaucoup plus appréciées. Si vous vous dites idéaliste, le recruteur traduira « naïf ».*

2. Vos activités

Avez-vous des passions dans la vie ?

On quitte le domaine des hobbies pour rentrer dans la sphère des passions. Attention, la nuance est d'importance, car l'examen de ses passions sert à déterminer précisément le profil du candidat. A juste titre d'ailleurs, entre un féru d'ornithologie et un adepte de Bruce Lee, la différence est presque aussi sensible qu'entre le feu et la glace.

Quelqu'un qui n'a aucune passion apparaît aussitôt un peu mièvre. Alors, même si vous n'avez que des centres d'intérêts, soyez suffisamment enthousiaste dans vos propos pour donner de la moelle à votre personnalité.

A contrario, si vous croulez sous le poids des passions – vous raffolez à la fois de cinéma, de musique classique, de parapente, de voyages en Asie –, on trouvera que vous vous dispersez beaucoup. Soyez donc sélectif(ve) : **les passions, c'est comme les bons amis, on n'en a pas 36**. Racontez, bien sûr, comment elles ont surgi et comment vous entretenez la flamme. Une fois n'est pas coutume, **évitez soigneusement toute interaction avec le boulot**. Avec cette question, le recruteur vous offre une case vide à remplir : profitez-en pour lui rendre une fenêtre pleine de couleurs.

Variantes :
- *« Qu'est-ce qui vous fait vibrer ? »*
- *« Y a-t-il une activité que vous placez au-dessus de tout le reste ? »*

A côté de la plaque :
- *« Oui, le travail. » C'est ça, continuez, et pour Noël, vous voulez un télécopieur ?*
- *« Les femmes. »*
- *« Relisez Hegel : rien de grand dans l'Histoire ne s'est fait sans passions. »*

• *« Mon père collectionne les toiles de maîtres : vous appelez ça une passion ? »*
• *« Mes passions sont tellement captivantes que j'ai du mal à penser à autre chose. »*
• *« Je me demande sérieusement si un jour je ne vais pas tout plaquer pour vivre ma passion. »*

Bien vu :
• *Faire partager sa passion au recruteur. Si celui-ci pense après vous avoir écouté « tiens, quelle drôle de chose », vous aurez à moitié gagné votre coup. En revanche, s'il se dit « voilà vraiment quelque chose que j'aimerais découvrir », bingo. Pour cela, il n'y a pas 36 000 chemins à suivre : soyez passionnant dans vos explications. Ça se travaille mais si vous êtes réellement passionné, vous devriez y arriver.*

Quelles étaient vos activités extra-scolaires ?

Ce type de question représente l'une des rares opportunités, lors du recrutement d'un jeune diplômé, de « travailler sur du concret ». En bref, les jeunes diplômés restent, par définition, des débutants sans expérience professionnelle, d'où la nécessité pour le recruteur d'aller chercher du côté de vos activités – et surtout de vos stages – pour extraire la substantifique moelle de votre courte expérience.

L'essentiel tient donc pour votre interlocuteur en une phrase : **vous faire réfléchir sur une expérience vécue**. Sorti de là, une seule règle : se montrer actif hors des études constitue, à l'instar de la maîtrise de la langue anglaise, une condition nécessaire mais pas suffisante. Autrement dit, ne vous leurrez pas : rester le nez dans ses cahiers n'a jamais constitué un argument frappant à l'embauche.

C'est le moment rêvé pour placer votre grande passion pour le handball en compétition. Par contre pratiquer un sport individuel plutôt qu'un sport collectif n'est en rien rédhibitoire, trop de paramètres entrant en compte (volonté des parents durant l'enfance, situation géographique, socioculturelle...) pour que ce critère s'avère véritablement significatif.

De plus, ajoute Jean-Paul Brett (Pereire Conseil), « *le fonctionnement d'un individu dans sa vie extraprofessionnelle n'est pas forcément le reflet de son fonctionnement dans la vie professionnelle.* » Une pierre dans le jardin de l'idée reçue selon laquelle les licenciés de football jouant en club gagneraient les faveurs des entreprises au détriment des fanas de tennis ou de ski : **l'important ici est bien de participer... à n'importe quoi du moment que vous sortez de chez vous !**

Le « parler vrai » reste sur ce point fondamental : épargnez-vous l'exercice fastidieux consistant à énumérer l'intégralité de vos sorties au cinéma depuis la petite enfance *(« Après* Bambi, *c'était* Rox et Rouky *je crois... »)*, vous risquez de lasser votre auditoire – on le comprend. Pas la peine, donc, d'empiler vos hobbies sportifs et/ou culturels, une ou deux activités significatives suffiront. De même, laissez de côté la fameuse « junior entreprise » de votre école si vous n'avez fait que passer y prendre un café. **Pas de bla-bla mais du concret : l'entretien est court, allez à l'essentiel.** Montrez que vous vous intéressez à autre chose qu'au contrôle de gestion et essayez de convaincre, vous êtes sur le terrain de vos passions : que diriez-vous à un ami si vous deviez lui vanter les vertus des régates à la voile ou du snowboard ?

Préférez-vous les sports individuels ou les sports collectifs ?

Sport et activité professionnelle ont toujours fait bon ménage dans la bouche des recruteurs. Entre la recherche de performances, le travail en équipe et la saine émulation, les comparaisons en matière de modes de fonctionnement abondent. Dès lors, **un candidat sportif qui fait part avec intérêt de ses activités peut marquer des points**, surtout si son interlocuteur partage ses goûts. De là à penser qu'un sportif individuel travaillera mieux de façon autonome tandis qu'un amateur de sports collectifs s'intégrera mieux dans une équipe, il n'y a qu'un pas, plus ou moins franchi par les recruteurs.

Alors si vous faites du sport, racontez le parcours qui vous a mené vers telle ou telle discipline, justifiez vos préférences, mais sans opposer forcément les sports individuels aux sports collectifs. Voyez-les plutôt sous un angle complémentaire et méfiez-vous des théories toutes faites. De trop nombreux clichés courent sur le sujet, type *« je pratique des sports individuels parce que je ne veux compter que sur moi »*.

A noter :

• *Le recruteur veut peut-être vous attirer sur le terrain (miné) de la comparaison du sport avec le travail en entreprise. Surtout, pas de banalités, mais des faits : un champion qui s'est reconverti, une campagne de pub explicite, une stratégie marketing dynamique... Fouillez votre mémoire pour illustrer vos propos. Le sport est quelque chose de très vivant, vous devez donc en parler de manière très vivante.*

Quel est le dernier film que vous ayez vu ?

Mettons tout de suite les choses au point : si vous parlez du dernier *James Bond*, le recruteur ne vous considérera pas comme un parfait demeuré. Idem, si vous citez le dernier Godard, on ne vous taxera pas forcément d'intellectuel pur et dur. Toutefois, gardez-vous de parler de ce mémorable chef-d'œuvre du 7e art qu'est *Mon curé chez les nudistes* (ou *On se calme et on boit à Saint-Tropez*), même si vous l'avez vu la veille en cassette. Là, on n'empêchera pas votre interlocuteur de faire des yeux ronds. Si vous pensez que votre choix est trop restrictif, citez deux films issus de genre différent, cela créera un équilibre, à condition qu'il soit crédible.

Mais, comme la question portant sur les livres, celle-là ne sert pas à vous juger sur vos goûts. L'intérêt pour le recruteur consiste à voir comment vous argumentez vos choix. Vous pouvez parfaitement vous emparer d'un film grand public et détailler subtilement ses ressorts. **Vous administrerez alors la preuve d'un esprit à la fois curieux, réfléchi et capable d'aller voir ce qui se passe au-delà du miroir**. Pas mal, non ?

Regardez-vous souvent la télévision ?

Dis-moi quelle émission tu regardes, je te dirais qui tu es. Le raisonnement apparaît un peu réducteur ; c'est vrai, pourtant, qu'à travers les goûts télévisuels de quelqu'un, on réussit à se faire une idée un peu plus précise de sa personnalité. « *Les candidats le savent* », note ce recruteur, « *eux qui pour l'occasion s'inventent une consommation télévisuelle très réduite en plus de penchants prononcés pour* Envoyé Spécial, Culture et Dépendances *ou les soirées thématiques d'Arte. En revanche, pas question de dire qu'on regarde régulièrement les matchs de foot ou les séries policières. Eh bien, les candidats ont tort de se montrer si précautionneux sur leurs choix. Je n'aime rien tant qu'on me fasse part d'une émission que je ne connais pas et qu'on m'explique pourquoi elle est bien. Je ne devrais pas le dire, mais grâce à des candidats, je regarde maintenant des émissions sur le câble dont j'ignorais tout avant les entretiens en question.* »

Conclusion : mettez un peu d'originalité dans la présentation de vos programmes préférés. Inutile de citer tout un stock d'émissions, choisissez-en seulement deux-trois et argumentez votre sélection. Comme pour les questions relatives à vos lectures et aux films que vous aimez, vos opinions importent moins que la façon dont vous les défendez. Si vous êtes un fana des magazines animaliers, pourquoi pas, à condition de préciser ce qui vous pousse à appuyer sur le bouton, pardon sur la télécommande à ce moment-là.

Cela dit, évitez l'avalanche d'émissions connues pour leur ringardise, auquel cas vous vous décrédibiliseriez un tantinet. Et ne dites pas que vous passez quatre heures par jour minimum devant la télé. Même en période de recherche d'emploi, ça fait un peu désordre.

Variantes :

- *« Vous regardez tous les soirs le journal de 20 heures ? »*
- *« Quel est votre média préféré ? »*

A côté de la plaque :

- *« En principe, à cette heure-là, je regarde la* Star Academy. *»*
- *« J'ai des insomnies, je regarde la télé la nuit. »*
- *« Vous ne savez pas quel est le programme ce soir sur la Une ? »*
- *« Et vous, quelle style d'émissions aimez-vous ? »*

Bien vu :

- *On a récemment parlé au cours d'une émission de l'entreprise qui vous reçoit ou de son secteur d'activités. Et coup de chance, vous étiez en face de votre petit écran. Evoquez donc cette émission, ce qu'elle vous a appris et tâchez d'apporter un petit commentaire. Votre faculté à vous tenir informé(e) sera appréciée.*

Que lisez-vous actuellement ?

Rassurez-vous, l'objectif d'un entretien d'embauche n'est pas de tester votre culture générale. Bien sûr, si vous êtes candidat à un poste dans une entreprise à vocation culturelle, il vaut mieux ne pas rester muet(te) trop longtemps sur le sujet. Pour le reste, ne croyez pas que vous serez aussitôt déconsidéré(e) si vous citez un Sullitzer plutôt que le dernier Modiano.

En revanche, **ce qu'on attend de vous, c'est une réponse argumentée.** « *Aucun livre, même le plus ésotérique ou le plus populaire ne choquera* », précise ce consultant en ressources humaines, « *à condition que mon interlocuteur m'explique, même brièvement, les raisons de son choix. Des lectures surprenantes débouchent parfois sur des échanges très intéressants. Il n'y a rien de répréhensible à défendre San Antonio ou un livre sur le sport ! En règle générale, je me méfie des gens qui vous lancent à la figure une tripotée d'ouvrages, du genre, "vous savez moi, je lis beaucoup de choses en même temps. Cela traduit souvent des personnalités qui brassent beaucoup d'air."* »

Ne vous inventez pas d'auteur de chevet dont vous ne connaissez pas la moitié de l'œuvre : avec un peu de malchance, vous aurez affaire à un amateur qui sera ravi de vous faire admirer ses connaissances sur le sujet. Si vous ne lisez rien, dites-le, sauf si vous êtes doué(e) pour broder. Mais ne dites pas que vous ne lisez plus parce que votre recherche d'emploi vous mobilise à temps plein : il ne faut rien exagérer.

Variantes :

- « *Avez-vous un livre de chevet ?* »
- « *Quels sont vos auteurs préférés ?* »

PARTIE III

PARLONS BOULOT

1. Vous et le poste

Ce poste, vous en rêvez ?

La question est nette, sans détour, elle veut déterminer le pouvoir d'attractivité du poste. Elle veut aussi déterminer votre degré de franchise et votre capacité à vous investir – étant entendu qu'on fait encore mieux ce qu'on aime. Evitez de dire que vous rêvez du poste qu'on pourrait vous proposer. Jusqu'à preuve du contraire, même s'il s'agit d'une fonction ultra-séduisante, ce n'est ni l'homme ni la femme de votre vie. **Parlez plutôt d'intérêt, de motivation ou de qualité de travail.** Dites que tous les critères sont réunis pour que vous vous épanouissez dans ce travail.

Si vraiment la tâche est rebutante, et cela arrive régulièrement dans le cadre d'un premier emploi, ne jouez pas l'hypocrite. On ne vous tiendra pas rigueur de signaler quelques aspects peu enthousiasmants, surtout si cette vision des choses est partagée en règle générale. Au contraire, vous vous montrerez prêt(e) à « aller au charbon ». Simplement, rappelez qu'une carrière se construit par palier, que certains paliers sont plus attractifs que d'autres, mais qu'on doit les franchir successivement.

Enfin, pourquoi ne pas mentionner qu'avec la conjoncture, il ne faut pas se poser 36 000 questions et accepter de mettre les mains dans le cambouis. On pourra aussi dire la même chose en termes plus choisis, mais un bon accès de franchise ne fait parfois pas de mal.

A côté de la plaque :

- *« J'en rêvais, vous me le donnez. »*
- *« C'est vraiment formidable, le travail. »*
- *« Et en plus, vous me payez ! »*
- *« Vous rigolez ? Quand j'entends "le travail, c'est la santé", je crois qu'on me parle de la prison... »*

Quelle idée vous faites-vous de la fonction ?

Voici une question de clarification, sans arrière-pensées tordues : on cherche tout simplement à déterminer le degré de connaissance que vous, candidat, avez de ce qui vous attend. C'est également l'occasion pour le recruteur d'établir la précision avec laquelle vous ciblez votre recherche d'emploi.

Ici encore, doté(e) d'un solide projet professionnel, vous verrez s'envoler la majeure partie des difficultés. Toutefois, il vous restera à trouver l'équilibre entre l'idée trop nette, trop lisse, que vous pourriez avoir du poste – au risque de faire fausse route – et une somme d'impressions trop floues pour être significatives. *« L'intelligence du candidat va consister à évoquer essentiellement des compétences, des dominantes »*, précise un consultant de Pereire Conseil. Un exemple : *« Je vois ce poste comme une fonction à dominante technico-commerciale, dans laquelle l'organisation de son temps de travail et la capacité à nouer des relations de qualité avec son équipe sont primordiales pour réussir... »*

Accessoirement, à l'issue de cette question, « recruté » et recruteur devraient pouvoir être tout à fait sûrs qu'ils parlent bien de la même chose, sans malentendus. Gardez en tête que, tout comme vous, votre interlocuteur doit éviter à tout prix l'erreur d'aiguillage...

A côté de la plaque :

• *Jouer la carte du « Je verrai sur place » : « Une idée de la fonction ? Non, je ne vois pas comment m'en faire une idée... Je n'ai pas assez d'éléments en main : trop de paramètres entrent en compte que je ne pourrai découvrir que sur place. » Sanction immédiate : « Ah ? dans ce cas, pourquoi postulez-vous ? » Et voilà, vous vous trouvez dans une position délicate : obligé(e) d'admettre que vous recherchez un emploi et non ce poste précisément. La porte du bureau n'est plus très loin...*

Quelles sont, selon vous, les compétences nécessaires pour réussir à ce poste ?

C'est l'occasion rêvée de vous lancer dans l'exposé de votre « argumentaire de vente ». Choisissez donc des compétences clairement identifiées, à la fois comme traits saillants du poste en question et points forts de votre candidature.
C'est le moment où jamais de convaincre votre interlocuteur que vous correspondez au profil idéal tant recherché. A la condition expresse d'avoir soigneusement préparé l'entretien (connaître les besoins de l'entreprise, identifier les points forts de votre candidature...), cette question ne devrait vous poser aucun problème particulier. Toutefois, évitez soigneusement toute projection dans un avenir hypothétique *(« Je pense que ce poste réclame de réelles qualités d'organisation personnelle. Je suis un peu désordonné(e), c'est vrai, mais je m'adapterai certainement, vous ne croyez pas ? »)*. En revanche, **montrez que vous possédez déjà les compétences requises.** Ne ménagez pas vos efforts. Ce type de question correspond généralement à un moment-clé de l'entretien : celui où vous est donnée l'opportunité de concrétiser, face à votre interlocuteur, les points positifs que présentait déjà votre candidature lors du tri des CV. De plus, la question est suffisamment ouverte pour vous permettre de rebondir rapidement, des compétences nécessaires à vos propres qualités et de montrer que vous « cadrez » parfaitement *(« Pour moi, ce type de poste exige avant tout une solide expérience de la vente et une bonne connaissance des magasins spécialisés. C'est d'ailleurs exactement ce que m'a apporté mon stage de fin d'études, etc., etc. »)*.

Attention cependant au faux pas : pas question de se tromper de cible, vous ne disposez que d'une flèche ! Votre profil intéresse l'entreprise ? Vous devez absolument savoir pourquoi...

Précision utile :

• *N'affirmez jamais (au grand jamais!) sans démontrer. Piochez dans votre expérience professionnelle, ou, à défaut, universitaire et extrascolaire. Quoi qu'il en soit, vous vous apercevrez rapidement que le « parce que » constitue votre meilleur allié.*

Variante :

• *Version hard : « Avez-vous une idée des compétences nécessaires pour travailler à ce poste ? » Le léger sarcasme ne doit pas faire illusion : c'est la même question !*

Quelles sont les difficultés du poste ?

Il ne s'agit plus seulement d'identifier la fonction et de souligner les compétences qui seront nécessaires pour la remplir, mais bien de mettre le doigt sur ce qui va faire mal. Ne dites pas *« il n'y a aucune difficulté »*, il y en a certainement. Bien les analyser revient à montrer au recruteur que vous avez bien compris la tâche qui vous attend. Soyez précis(e) dans cette analyse et commencez par les difficultés générales pour finir avec les problèmes particuliers. Point trop n'en faut, mais vous devez au moins citer trois-quatre foyers d'obstacles. Ne vous contentez pas de la stricte litanie des écueils, essayez de mettre en lumière les interventions susceptibles de les surmonter.

Via cette question, c'est un véritable diagnostic que le recruteur vous demande. A vous de lui donner et de le compléter par une ordonnance de « remèdes ». Evidemment, gardez-vous de jouer les charlatans en conseillant quelques potions miracles, mais délivrez une vision telle du poste qu'elle recense à la fois ses difficultés et les moyens de les dépasser.

Variantes :
- *« Quels problèmes pensez-vous rencontrer dans l'exercice de cette fonction ? »*
- *« A quelles difficultés allez-vous vous heurter ? »*

A côté de la plaque :
- *« Je ne vois pas de difficultés particulières. »*
- *« Je suis capable de surmonter toutes les difficultés. »*
- *« Il n'y a pas de problèmes, il n'y a que des solutions. »*

A noter :
- *Pour un grand nombre de postes, les difficultés sont communes à toutes les entreprises. A force, vous devriez donc bien maîtriser cette réponse. Néanmoins, trouvez toujours la petite difficulté qui montrera que vous mesurez la logique et les caractéristiques propres de l'entreprise en question.*

Bien vu :

• *Inscrivez votre réponse dans le temps. Les difficultés du poste ont certainement évolué, expliquez-le. Et parce qu'elles vont continuer à évoluer, parlez du moyen et du long terme.*

Vous sentez-vous directement opérationnel(le) ?

Le corollaire de la question précédente : le recruteur doit cerner votre approche du poste et ce que vous comptez apprendre dans le cadre de vos nouvelles fonctions d'une part, vos besoins éventuels en formation d'autre part. **Tout réside donc dans un savant dosage entre l'envie d'acquérir de nouvelles compétences d'un côté et la volonté de mettre en pratique des compétences déjà acquises de l'autre.**

Devez-vous vous sentir directement opérationnel(le) ? En fait, selon les professionnels du recrutement, nombre de candidats fournissent à ce type de question une réponse apprise à la virgule près et commençant invariablement par « Oui ! », *« sous prétexte de montrer qu'ils sont prêts à charger sabre au poing... »*. Ce type de réponse toute faite donne la désagréable impression de manque de spontanéité...

Dommage, d'autant plus que cette question constitue pour le « recruté » l'occasion d'évoquer, de son propre chef, un ou deux points faibles – non rédhibitoires, bien entendu – de sa candidature. Reconnaître la nécessité d'une formation lorsque l'on postule à un poste réputé pour sa haute technicité n'apparaît en rien discriminant. Bien au contraire, c'est en général **faire preuve d'humilité et de sens des réalités**, deux qualités bien souvent très appréciées. Alors laissez de côté le par cœur et optez pour une vraie réflexion, quitte à lâcher un peu de lest, l'investissement sera rentable : il vous est demandé de vous connaître, et non d'occulter le moindre obstacle entre vous et le poste tant convoité...

D'après vous, que va vous apporter ce poste ?

Il va s'agir ici de se projeter dans l'avenir... Comment vous-voyez vous à ce poste ? Quel sera votre quotidien ? Les actions à mener ? Les difficultés rencontrées ? Bref, quelles compétences allez-vous acquérir « sur le tas » ?

L'exercice est, en de nombreux points, semblable au jeu du « Quel a été votre stage le plus enrichissant ? ». Une différence de taille subsiste cependant : ici, c'est d'avenir qu'il est question. Il va vous falloir anticiper, l'occasion pour votre interlocuteur de tester vos connaissances du secteur d'activités proposé, et d'évaluer votre sens de la réalité opérationnelle du poste en question.

Montrez que vous savez où vous mettez les pieds et ne parlez bien évidemment que de ce que vous connaissez effectivement. Pas question, bien entendu, de parler argent et/ou reconnaissance sociale *(« Ce que ce poste va m'apporter ? La richesse et une grosse voiture de fonction ! »)* : vous êtes au-dessus de tout ça, n'est-ce pas ? Evoquez plutôt votre épanouissement personnel dans une fonction cadrant parfaitement avec votre projet professionnel, donc avec votre personnalité, ça passera certainement mieux...

Ne pensez-vous pas être un peu jeune pour ce poste ?

La belle affaire ! N'ayez aucune inquiétude : si l'entreprise souhaite vous rencontrer, c'est que votre profil lui semble manifestement digne d'intérêt. Autrement dit, la réponse est contenue dans la question : « *Nous ne pensons pas que vous soyez trop jeune pour le poste. Vous vous situez néanmoins à la limite de nos exigences et peut-être cela vous pose-t-il un problème...* ».
Non, bien entendu...

Les exigences en matière d'âge se révèlent bien souvent des exigences en matière d'expérience professionnelle. Par exemple : « 25-27 ans » signifie « deux à quatre années d'expérience ». **Conclusion : si, malgré votre jeune âge, vous vous montrez suffisamment expérimenté sur le papier et mature lors de l'entretien, vous aurez bien évidemment toutes vos chances.**

Alors pourquoi poser la question ? Tout simplement pour tâter le terrain du côté des points les plus faibles de votre candidature, histoire de vérifier que vous ne souffrez pas du complexe de Mozart, qui n'était pas le dernier en matière de précocité (songez que si le cher Amadeus était aujourd'hui aussi bon informaticien que pianiste, il s'appellerait Bill Gates. Voilà qui laisse songeur...).

Variantes :
- « *Ne pensez-vous pas être surdiplômé(e) ?* »
- « *Ne pensez-vous pas être un peu âgé(e) pour ce poste ?* »
- « *Ne pensez-vous pas manquer d'expérience ?* »

A côté de la plaque :
- « *Si, vous avez raison. J'aurais dû m'en douter...* » : *mais puisqu'on vous dit que non... Restez, enfin !*

Quelles sont vos prétentions en matière de rémunération ?

L'une des figures imposées de l'entretien d'embauche : pas question d'oblitérer un point aussi crucial. Après tout, si vous vous vendez, autant être le plus clair possible sur le prix du produit.

L'exercice reste pour le moins délicat (le fameux tabou des rémunérations a la vie dure...), et quelques règles de base s'imposent. N'attaquez pas bille en tête dès les premières secondes *(« Autant vous prévenir tout de suite, c'est 45 K€ ou rien ! »)* : âpre au gain passe encore, mais carnassier, non... Dans la majorité des cas, votre interlocuteur abordera de lui-même la question dans la dernière partie de l'entretien. Si rien ne vient, n'hésitez pas à prendre les devants... en douceur.

Tact et diplomatie sont de mise : parlez intéressement, primes, fixe et commissions dans un premier temps, vous arriverez très vite à vos fins sans heurter. Pas d'inquiétude : **faire preuve de franchise à ce sujet ne vous sera jamais reproché...** à condition de savoir éviter toute brutalité *(« Bon, c'est payé combien ? »)*.

Raisonnez en termes de fourchette (plus ou moins 20 %), ni trop étroite *(« ... entre 45 et 46 K€... »)*, ni trop large *(« ... entre 25 et 60 K€... »)*. **Un conseil : renseignez-vous si besoin est...** Quels sont les salaires couramment pratiqués pour ce poste ? Dans ce secteur ? Les rémunérations dans cette entreprise sont-elles au-dessus du marché ? En dessous ? Bref, votre prix doit « coller » aux attentes de la demande.

Ah, un détail qui va sans dire mais c'est encore mieux en le disant : votre interlocuteur pense en termes de salaire brut... Evitez de confondre avec le salaire net !

Enfin, n'oubliez pas que cette question reste évidemment pour le recruteur une occasion de tester votre sagacité, vos capacités de jugement et d'évaluation, votre sens de la mesure... ou de la démesure. **N'allez donc pas gonfler outrageusement vos prétentions financières** sous prétexte que l'on vous demande combien vous souhaitez gagner, vous passerez rapidement pour un rêveur gentiment idéaliste.

A l'inverse, ne vous bradez pas : pas question de solder, même après de nombreux mois de recherche d'emploi : si l'entreprise ou le cabinet désire vous rencontrer, c'est que vous correspondez au profil recherché... au prix du marché, ni plus, ni moins.

Variante :

- *« Quel salaire minimum accepteriez-vous de percevoir ? » Ne rentrez pas dans le jeu du « chiffre exact », évoquez directement la fourchette que vous avez en tête. Le fond de la question est le même : combien comptez-vous gagner ?*

Quels changements souhaitez-vous apporter au poste ?

Le recruteur appréciera toujours l'esprit d'initiative du candidat. Pourtant, il y a des domaines où cette qualité doit s'entourer de multiples précautions. Quand il touche au profil du poste et à la capacité d'évolution souhaitée par le candidat, le recruteur est en état d'éveil maximal. En effet, il n'est pas impossible que le poste soit déjà en cours de transformation et il faut vérifier si le candidat possède les moyens d'accompagner cette évolution. Même si vous sentez que des aménagements sont nécessaires, gardez-vous de parler d'un chantier à mettre en œuvre. Cela aurait l'air de dire que le poste avant vous ne rimait à rien.

Tous les arguments (plus de rigueur, renforcement des partenaires, changements techniques...) doivent être énoncés au rang d'une meilleure efficacité. **Ne mettez personne en cause**, nous ne sommes pas à OK Corral. Dans le cas présent, l'éventuel changement de profil du poste doit seulement faire appel à des critères objectifs.

Si le sujet ne vous inspire pas, mais alors pas du tout, expliquez que vous préfériez d'abord vous confronter à l'exercice de cette fonction avant de penser à la remettre en cause.

Variantes :
- *« A votre avis, ce poste est-il susceptible d'évoluer ? »*
- *« Ce poste vous satisfait-il dans sa forme actuelle ? »*

A côté de la plaque :
- *« On ne change pas une formule qui gagne. »*
- *« Une refonte totale de la fonction s'impose. »*
- *« Ce n'est quand même pas au candidat d'imaginer sa fonction. »*

Bien vu :
- *La GRH (Gestion des ressources humaines) est l'une de vos matières de prédilection. Eh bien c'est une bonne chose, car les recruteurs*

se montrent friands d'indications données par les candidats sur les méthodes de management. Et pour cause, elles leur donnent le sentiment que le candidat a déjà une idée assez précise du monde du travail. En arrivant à conceptualiser un minimum l'évolution d'une carrière et le descriptif d'un poste, vous marquez des points à coup sûr.

En quoi ce poste est-il indispensable à la réussite de votre carrière ?

« Je n'ai même pas commencé à travailler que, déjà, on me parle de réussite de ma carrière. Je les impressionne à ce point ? » Non, on ne dira pas ça. D'ailleurs, ce n'est pas dans la poche. Avec cette question, le recruteur attend du candidat, non qu'il parle de sa réussite future, mais qu'il envisage le poste à long terme. Le poste, et plus précisément les fonctions qui pourront succéder à cette première affectation.

But de votre manœuvre : montrer comment le poste en question sera la pierre angulaire de votre édifice professionnel. Pour cela, balayez largement le champ de la fonction, voyez tous les domaines qu'elle recouvre et tous les acquis qu'elle vous offrira. De sorte que la synthèse éminemment positive que vous proposerez achèvera de convaincre votre interlocuteur que vous êtes prêt(e) à vous investir à fond.

A côté de la plaque :
- *« Il faut bien commencer un jour. »*
- *« Je place la réussite personnelle avant la réussite professionnelle. »*
- *« Tôt ou tard, je compte bien rebondir ailleurs. »*

Quelle évolution envisagez- vous à partir de ce poste ?

Sous-entendu : « *Comment comptez-vous valoriser cette expérience par la suite ?* » Une variation sur le thème de la projection dans l'avenir avec, en filigrane, la vision plus ou moins précise et aboutie de votre projet professionnel. Ce dernier constitue sans aucun doute l'une des préoccupations majeures de votre interlocuteur, qui n'aura donc de cesse de reboucler, affiner, préciser encore et encore jusqu'à cerner très exactement vos intentions et motivations à moyen et long terme.

Le piège : n'envisager son évolution qu'en interne, au sein de l'entreprise rencontrée. Etant donné l'état actuel du marché de l'emploi, c'est assurément tirer des plans sur la comète tout en se fermant nombre d'opportunités. De plus, vous laisserez apparaître un besoin de sécurité sous-jacent qui, quoique fort compréhensible, ne manquera pas d'évoquer une certaine frilosité pour votre interlocuteur (attitude de recul face au risque, à l'incertain, etc.). Plutôt que de faire l'impasse sur un « parcours à dominante externe », **raisonnez en termes d'étapes, de postes valorisant des compétences, en interne... ou en externe.** Ne perdez pas de vue l'essentiel : comme votre formation et vos stages vous auront permis de décrocher ce poste, cette première expérience professionnelle vous ouvrira très certainement de nouvelles portes... Lesquelles ? Et ainsi de suite...
Là encore, **ne forcez pas la dose d'ambition et argumentez.** Chaque étape en amenant une autre jusqu'à votre objectif final. N'hésitez surtout pas à répéter votre projet professionnel pour la énième fois : mieux vaut radoter en toute cohérence (après tout, on vous pose la question...) qu'innover sans ligne directrice. Il n'est donc, ni nécessaire, ni même conseillé, d'improviser un nouveau projet en direct sous prétexte de ne pas lasser votre auditeur. L'intention est louable mais ne sera vraisemblablement pas appréciée à sa juste valeur...
Cette question, c'est aussi l'occasion pour vous de faire le point sur les possibilités d'évolution offertes par l'entreprise que vous

rencontrez : **les grandes lignes de votre plan de carrière sont-elles compatibles avec l'avenir professionnel que vous réserve votre interlocuteur ?** Si oui, jusqu'à quand ?

A côté de la plaque :

• *Mention spéciale pour le catastrophique : « Euh, très sincèrement, je n'y ai pas réfléchi, je suis déjà très content(e) d'être arrivé(e) ici... ». La myopie temporelle est un handicap insurmontable. Suivant !*

2. Vous et l'entreprise

Pourquoi nous avez-vous contactés ?

En d'autres termes : *« Notre entreprise (ou l'entreprise de notre client) présente-t-elle des spécificités qui vous attirent ou représente-t-elle un moyen comme un autre de trouver un poste, quel qu'il soit ? »*.

L'heure est venue de montrer que vous connaissez le terrain comme votre poche. En théorie, cette question recoupe l'argumentaire développé dans le cadre de votre lettre de candidature. Ne jouez pas l'effet de surprise en changeant d'arguments en cours de route : creusez le même sillon. **Toute la pertinence de votre réponse va résider dans la mise en perspective des motivations qui vous amènent à vous présenter à ce poste et de votre projet professionnel.** Si tout votre plan de carrière est axé autour du secteur bancaire et financier, pourquoi postulez-vous à ce poste de commercial en grande distribution ?

La gymnastique de la cohérence trouve vite ses limites si vous n'avez pas « bétonné » votre projet en amont. *« Trop de débutants, en ne se connaissant pas assez, postulent à des postes qui ne leur correspondent pas et tirent sur tout ce qui bouge, sans résultat... »*, regrette un conseiller en recrutement désabusé, ajoutant : *« Le marché du travail est trop exigeant pour que l'on puisse s'y présenter sans projet professionnel viable : en postulant, vous devez montrer que c'est précisément* ***ce poste****, et non un emploi, que vous recherchez, il est donc primordial de bien se connaître, mais aussi de bien connaître son interlocuteur... »*.

Evoquez la culture de l'entreprise rencontrée, ses méthodes de management, la qualité de ses produits, sa conception du produit, etc. Par exemple : *« le management par projets est une méthode qui me convient parfaitement : intégré(e) à une équipe serrée concentrée sur un objectif-phare, je m'épanouis totalement. C'est pour cette raison, entre autres, que j'ai privilégié votre entreprise... »*. Un peu de franchise ne nuit pas, au contraire, alors évoquez – sans trop forcer – le cas échéant, l'image de l'entreprise, les possibilités d'évolution en son sein « ... *et il est vrai que les possibilités d'évolution évoquées dans l'annonce que vous avez publiée ont influé sur mon choix. D'ailleurs, votre récente expansion aux Bahamas va-t-elle entraîner la création de postes de chefs de projets supplémentaires ?* »

A côté de la plaque :

• *Parler d'argent : l'argent vous intéresse ? Fort bien, mais cela ne doit évidemment pas vampiriser le reste. Concentrez-vous pour le moment sur l'intérêt du poste et de l'entreprise. Que vous soyez effectivement essentiellement motivé(e) par le salaire élevé offert par votre interlocuteur est une vérité bien compréhensible mais qui n'a pas (encore) sa place ici et maintenant. Persistez dans cette voie et vous renverrez immanquablement l'image d'un « mercenaire » qui n'hésitera pas un instant à se vendre au plus offrant si l'occasion se présente. Difficile d'inspirer confiance dans ces conditions...*

Qu'est-ce qui a retenu votre attention dans notre annonce ?

« Mais qu'est-ce qu'elle pouvait bien dire cette annonce ? De toute façon, moi, les annonces, je ne les lis jamais à fond. Il suffit d'un mot ou d'une formule qui fasse tilt et tout de suite j'envoie ma candidature. Alors me souvenir comment elle était libellée, vous pensez ! » Bien entendu, cette brève et intense cogitation relève de la pure fiction car vous faites partie de ces candidats qui, avant d'aller passer un entretien, prennent soin de relire de fond en comble la petite annonce, voire de la mémoriser. Comme vous savez qu'elle a été rédigée par votre interlocuteur, évitez de mettre l'accent sur ses lacunes : allusive, incomplète, à peine compréhensible... Ne dites pas non plus que vous ne vous souvenez plus très bien du texte : compte tenu de sa longueur, le recruteur trouvera tout de suite que votre mémoire est bien courte... En outre, il stigmatisera votre absence de connaissances sur l'entreprise. Car une petite annonce sert aussi à éveiller la curiosité sur un secteur d'activités et le recruteur est en droit d'attendre que vous ayez un peu creusé le sujet, même si le nom de l'entreprise ne figure pas nommément.

Pour répondre adroitement à la question, ne prenez pas la petite annonce dans sa globalité : vous ne feriez que la répéter avec d'autres mots. **Extrayez plutôt quelques points précis** en montrant en quoi ils vous ont intéressé(e) et quelles qualités ces points précis semblent induire. De là, **passez à votre profil** en suggérant **vos propres qualités** qui, bien sûr, **coïncident avec ces exigences.** A l'arrivée, non seulement le recruteur appréciera que vous ayez compris la subtilité de son annonce, mais il verra aussi que vous êtes conscient(e) des compétences que réclame le poste. A partir de là, la conversation s'engagera souvent sur des bases encore plus concrètes.

« Vues de l'extérieur, toutes les petites annonces se ressemblent », note la secrétaire-documentaliste d'un chasseur de têtes, *« mais il y a toujours une petite notation qu'on ne retrouvera pas ailleurs.*

C'est justement au candidat de retrouver ce trait bien spécifique et de le mettre en relief. Cela montre des qualités d'observation souvent appréciables et appréciées. »

Que savez-vous de notre entreprise ?

Une question générique sur le thème : « *Montrez-moi que c'est ce poste, et non un autre, que vous recherchez...* ». Pas de piège ni de réelle difficulté ici, à condition bien sûr, d'avoir « révisé ». Votre interlocuteur n'a à cet instant précis, qu'une idée en tête : séparer le bon grain de l'ivraie en distinguant d'un côté les candidats ayant fait l'effort de se renseigner, de l'autre les « mains dans les poches et la fleur au fusil ».

Le moment est venu d'exposer le résultat de vos recherches préalables. Bel exercice de synthèse demandant un minimum de préparation. Il va s'agir de structurer votre réponse. On ne change pas une recette qui marche : allez du général au particulier. Votre exposé devrait pouvoir donner une bonne idée de l'entreprise rencontrée à une personne n'en ayant jamais entendu parler.

Quelques points à mentionner, dans l'ordre :
- le nom de l'entreprise rencontrée, bien entendu... ;
- son statut (filiale, élément d'un grand groupe, PME...) ;
- son secteur d'activités ;
- son activité principale ;
- ses produits phares ;
- son chiffre d'affaires ;
- sa position sur le marché ;
- son rayonnement (régional, national, mondial) ;
- le nombre de personnes employées par cette entreprise ;
- sa taille et sa structure (petite unité, multinationale...) ;
- son image de marque ;
- son style de management (autoritaire ? familial ? participatif ? décentralisé ?...) ;
- sa culture (culture - produit ? culture - réseau ? etc.).

Attention : pas question de vous lancer dans un exposé d'une heure ! Restez synthétique. Quatre ou cinq phrases devraient amplement vous suffire à brosser un portrait ressemblant (on appréciera au passage votre aptitude à la synthèse...). Attendez-vous ensuite à ce que le recruteur cherche à approfondir certains points essentiels afin de vérifier la compatibilité de votre candidature avec les usages de l'entreprise (culture, style de management, taille et structure...).

Et si vous avez répondu à une annonce dans laquelle l'entreprise n'était pas nommée ? Là encore, pas de vraie difficulté à l'horizon : la plupart des annonces de ce type sont suffisamment explicites pour vous permettre de deviner aisément le nom de l'annonceur. Par exemple : *« Société multinationale spécialisée dans le logiciel et leader sur son marché (systèmes d'exploitation grand public à fenêtres pour PC et compatibles) recherche testeur expérimenté (CDI). Sa mission : répertorier les petites erreurs sans gravité causant l'instabilité du système au sein de son logiciel phare : W. 95. Ecrire à Bill G., qui transmettra. »*

A côté de la plaque :

• *Mal deviner le nom de l'entreprise ayant passé une annonce « anonyme » (« Eh bien, je me suis renseigné(e) : exposer ici les caractéristiques du concurrent direct de l'entreprise rencontrée »). Sans commentaire.*

• *Se lancer dans un panégyrique de l'entreprise. Flagorneur et inutile : ce n'est pas un fan que l'on recrute, mais un collaborateur efficace.*

Bien vu :

• *Profiter de la question pour rebondir et se montrer intéressé(e) (« ...et vous êtes leader sur le marché de la parthénogenèse du poulpe. A ce propos, j'ai lu dans la presse spécialisée que votre société comptait racheter Octopussy. C'est vrai ? »).*

Qu'est-ce qui vous attire dans notre culture d'entreprise ?

« Dans l'absolu, il n'y a pas de candidat idéal. Il n'y a que des candidats particulièrement adaptés à certains types d'entreprises. De même, il n'y a que peu de mauvais profils. On trouve surtout des profils inadaptés à une méthode de management ou une culture d'entreprise particulière. Le travail d'un recruteur, c'est de trouver le meilleur profil possible pour une entreprise précise. » Autrement dit : vous aurez toujours vos chances, à condition de bien viser. D'où l'importance de cette question : ce qui importe pour votre interlocuteur, c'est **votre adéquation au poste** d'une part, et **à l'entreprise** d'autre part. Il est donc essentiel pour lui de déterminer si vous allez « cadrer » à la culture de l'entreprise rencontrée.

« Culture », c'est-à-dire, dans ce contexte, un système de codes, de valeurs, de représentations *« qui ont suffisamment bien fonctionné pour être considérées opérationnelles et, à ce titre, être enseignées aux nouveaux participants en tant que façon correcte de percevoir, de penser et de réagir face à des problèmes similaires »*. En clair : il est absolument primordial de **« coller » *a priori* à la culture** de l'entreprise qui vous recrute. Dans le cas contraire, vous vous exposeriez à d'amères déconvenues (pensez au calvaire d'un « recruté » recherchant avant tout une certaine autonomie et que l'on intègre à une organisation au sein de laquelle l'information est traditionnellement ultracentralisée...).

Votre réponse devrait donc, dans l'idéal, synthétiser tout ce que vous attendez de l'entreprise rencontrée : si vous souhaitez être intégré(e) à une équipe soudée, il est grand temps de vous rendre compte de l'erreur commise en postulant auprès de cette entreprise où la réputation de « chacun pour soi » n'est plus à faire. Si au contraire, ce que vous connaissez de la culture d'entreprise de votre vis-à-vis correspond en de nombreux points à l'environnement dans lequel vous souhaitez évoluer, la route est ouverte !

Ne noyez pas votre interlocuteur sous un flot de détails insignifiants (*« J'aime bien cette idée de badges au logo de l'entreprise ! Je les trouve du meilleur goût ! »*). Choisissez plutôt deux ou trois aspects significatifs : *« Le fonctionnement par groupes de projets implique une dynamique de groupe qui me convient tout à fait. La moyenne d'âge particulièrement basse répond également à mes attentes : elle induit une cohésion autour de mêmes centres d'intérêts. D'autre part, j'ai cru comprendre que la créativité était favorisée, et c'est exactement ce que je recherche... »*

Vous sentiriez-vous plus à votre aise dans une petite entreprise ou dans une grosse structure ?

Sous-entendu : « *Nous sommes une grosse structure (ou une petite entreprise), cela vous convient-il ?* » Cette question comporte en fait deux aspects majeurs.

En premier lieu, elle va permettre à votre interlocuteur de mieux vous cerner dans un cadre purement professionnel. Jetant votre dévolu sur les organisations de grandes tailles, vous donnerez l'impression de privilégier l'aspect « bureaucratique », les possibilités d'évolution « mécanique » le long de la ligne hiérarchique, le plan de carrière planifié en interne, au détriment d'une convivialité peut-être plus impliquante sur le plan humain. Attiré(e) par les structures réduites, dites « à échelle humaine », vous dégagerez l'image d'un candidat motivé par l'esprit d'équipe, les rapports personnalisés, les synergies au sein d'un groupe soudé.

En revanche, vous risquez de piloter votre carrière « à vue », sans être assuré(e) de possibilités d'évolution au cas où l'expansion de la société ne permettrait pas la création de nouveaux postes. **Soyons clairs** : il n'est pas dit que vous vous rangiez effectivement dans l'un ou l'autre de ces deux extrêmes. Pourtant, sachez que la plupart des professionnels du recrutement expérimentés ont pris l'habitude de « classer » mentalement les candidats rencontrés selon leurs réponses à quelques questions de ce type.

En second lieu, le but de la question reste effectivement d'évaluer votre adéquation au profil de l'entreprise rencontrée. Si vous avez correctement préparé l'entretien, vous savez dans quelle catégorie ranger l'organisation représentée par votre interlocuteur. A vous de fournir une réponse adaptée !

Un conseil, pour finir, valant pour toutes les questions de type « disjonctif » *(« vous préférez ceci ou cela ? »)* : nuancez votre réponse. Le « ceci » et le « cela » ayant chacun leurs avantages et leurs inconvénients, vous serez bien avisé(e) d'en faire part au recruteur avant d'opter pour l'une ou l'autre des alternatives. Vous montrerez que vous savez « mettre à plat » les données d'un choix et décider selon vos propres critères. Un bon point supplémentaire !

Qu'appréciez-vous dans le travail en équipe ?

Il y a fort à parier que vous serez amené(e) à collaborer avec d'autres personnes de façon régulière dans le cadre de cet emploi. L'employé isolé ne se rencontre plus guère que dans les rangs de certains ingénieurs en informatique (pas tous, bien entendu...), rivés à leur écran et autour desquels le monde peut bien s'écrouler, rien à faire...

Bref, vous allez probablement intégrer une équipe. D'où l'essentielle interrogation ci-dessus, que l'on pourrait traduire : *« Très bien, montrez-moi que vous pourrez aisément vous intégrer à l'équipe en place et que vous y trouverez votre compte... »*.

Une porte de sortie classique : parlez « synergies » (le fameux « 1 + 1 = 3 »). Vous vous sentez parfaitement capable de travailler seul(e), mais le fait est que le travail en équipe vous galvanise. Plusieurs raisons à cela : **une saine émulation, la dynamique de groupe, les liens d'entraide, de solidarité** (chacun profite de l'expérience et des compétences de ses collaborateurs...), **la complémentarité entre des individualités différentes, etc...** En résumé : quasi mécaniquement, travailler en équipe gonfle les performances du groupe.

Bon d'accord, mais votre individualisme dans tout ça ? Aucun problème, à condition que les règles soient claires dès le début de la collaboration : pas question de devoir tolérer des « poids morts » profitant des résultats du groupe sans y contribuer.

Au besoin, étayez votre réponse d'exemples précis et parlants, puisés dans vos expériences antérieures (travail universitaire en groupe, participation à une équipe sportive, succès éclatant d'un projet mené à terme...).

Variantes :

- *La même question, version négative : « Que trouvez-vous particulièrement pénible dans le travail en équipe ? »*

• *Idem, version « permettez-moi de douter... » : « Vous sentez-vous capable de travailler en équipe ? ».*
• Last but not least : *« Etes-vous plus efficace en équipe ou seul(e) ? »*

A côté de la plaque :
• *« J'apprécie tout particulièrement le fait d'exercer un certain pouvoir sur les membres du groupe. Si ce n'est pas le cas, je n'y vois aucun intérêt : autant se débrouiller seul(e). Après tout, on n'est jamais aussi bien servi(e) que par soi-même... ». Aïe ! Triple faute ! En un : la question n'est pas « Aimez vous commander ? ». En deux : « se débrouiller seul(e) » ? Et les synergies alors ? En trois : la citation mal avisée d'un néanmoins sympathique dicton populaire ne va guère vous servir, justement...*

Bien vu :
• *Une métaphore qui fait toujours recette depuis Platon : l'équipe embarquée sur un voilier (complémentarité, entraide, nécessité d'un leadership,...) : chacun se voit assigner une tâche, et le barreur dirige l'ensemble... Evidemment, l'équipage est plus efficace que chacun de ses membres s'il tentait d'effectuer le même trajet à la nage, etc.*

Aimez-vous commander ?

Si vous postulez à un poste dans le cadre duquel vous serez amené(e) à prendre en charge une équipe ou à diriger un service, il est primordial pour l'entreprise d'évaluer l'usage que vous comptez faire du pouvoir qui vous sera donné.

N'ayez pas de scrupules à répondre par l'affirmative, cela ne vous sera en aucun cas reproché : **le pouvoir implique la responsabilité**, vous vous montrez donc prêt(e) à y faire face le cas échéant.

Essayez en outre d'adapter votre réponse à la culture de l'entreprise rencontrée : inutile de vous décrire comme très autoritaire si l'ambiance est plutôt au management participatif, vous risquez d'effaroucher ! En règle générale, la tendance est plutôt à l'**implication de l'équipe et à l'usage modéré du pouvoir**. Cela étant, les usages en matière d'autorité hiérarchique varient fortement d'un secteur à l'autre, mais également d'une entreprise à l'autre. Bref, renseignez-vous, pour éviter de tomber complètement à côté de la plaque.

Une fois encore, n'en faites pas trop *(« J'adore le pouvoir. Sa conquête est pour moi un moteur et l'exercer me procure un sentiment de puissance véritablement exaltant »)*. La question *« Aimez-vous commander ? »* en induit une autre : « Dans quelle mesure supportez-vous la hiérarchie ? » : une soif démesurée de pouvoir aura toutes les chances d'impliquer, dans l'esprit de votre interlocuteur, un rejet tout aussi démesuré de l'autorité. Sachez éviter le mauvais point en trouvant l'équilibre...

Variantes :
- *« Quel serait votre style de management ? »*
- *« Qu'est-ce qui vous fait le plus plaisir lorsque vous dirigez une équipe ? »*
- *« Qu'est-ce qui vous exaspère lorsque vous dirigez une équipe ? »*
- *« Qu'attendez-vous de vos collaborateurs ? »*

Bien vu :

• *Un grand classique qui fait toujours recette : le « sévère mais juste » implique une intransigeance rassurante pour la direction tout autant qu'une équité qui vous permettra de gagner les faveurs de votre équipe. A placer dès que l'occasion se présente !*

Qu'attendez-vous de la hiérarchie ?

Une question désormais classique, qui s'avère très utile dès qu'il s'agit d'évaluer vos besoins d'autonomie et d'encadrement, votre sens des responsabilités et la marge de manœuvre dont vous estimez devoir disposer pour fournir un travail efficace.
Au fil des années, un consensus s'est établi. La plupart des candidats ménageront la chèvre et le choux en évoquant tour à tour : la nécessité de pouvoir compter sur des directives claires, sur une hiérarchie sachant déléguer et se montrer disponible, leur souhait de recevoir des objectifs précis et quantifiés, etc. Surtout, les attentes des candidats se résument à un point principal : être écoutés par leurs supérieurs hiérarchiques.
Pour votre part, gardez ce cap en insistant sur ces quelques points cruciaux :
• les domaines de responsabilité devraient être clairement définis et vous attendez de la hiérarchie qu'elle vous accorde une entière confiance ;
• votre autonomie devrait être respectée dans le cadre de ces domaines de responsabilité ;
• en revanche, vous seriez déçu(e) de constater que vos supérieurs se retranchent derrière vous en cas de dysfonctionnement hors de ces domaines précis ;
• votre action devrait être évaluée régulièrement et avec précision ;
• la hiérarchie devrait se montrer ouverte aux suggestions et à l'écoute de ses collaborateurs.
En répondant à cette question, vous aurez l'occasion de vous montrer « carré(e) » et efficace. En un mot, « professionnel(le) ». Ne la ratez pas : restez, dans un premier temps, dans le cadre du consensus évoqué plus haut. Libre à vous d'ajouter par la suite votre touche personnelle : périodicité des évaluations, des rapports, degré d'autonomie souhaité, etc.

A côté de la plaque :
• *« J'attends avant tout de la hiérarchie qu'elle me laisse tranquille... ». Bien sûr... Vous ne voulez pas la place de calife à la place du calife, en prime ?*

- « *J'attends de mes supérieurs qu'ils me couvrent systématiquement en cas d'erreur. C'est la moindre des choses, non ?* » *Voilà une réponse qui a le mérite d'éclairer la lanterne du recruteur sur votre sens des responsabilités... Trêve de plaisanterie, au suivant !*

Votre supérieur hiérarchique refuse de prendre en compte vos idées, que faites-vous ?

Une variation sur le thème : « Imaginez que vous vous trouviez dans telle situation... Comment réagissez-vous ? » Nombre de recruteurs reconnaissent l'énorme potentiel de ce type de question : **la mise en situation agit comme un révélateur de la personnalité du candidat et apporte des éléments de réponse essentiels quant à son profil professionnel.** De plus, c'est le moyen idéal de tester ses réactions dans une situation donnée et hors de toute contrainte matérielle. En résumé, si un candidat n'adopte pas une attitude convaincante alors même qu'il a toute latitude pour laisser libre cours à sa propre volonté, il y a fort à parier que sa réaction en situation réelle ne donnera pas entière satisfaction...

Ce type de question, au champ d'application quasi infini, varie évidemment d'un entretien à l'autre. Néanmoins, la mise en situation de type « vous face à une hiérarchie peu compréhensive » reste suffisamment significative pour mériter que l'on s'y attarde.

D'abord, elle démasquera instantanément les candidats incapables de se remettre en cause : on commence par « *Si je n'arrive pas à résoudre ce problème de maths, c'est que l'énoncé comporte une erreur, je ne vois que ça...* » pour finir par « *Si mes idées ne sont pas prises en compte, c'est qu'elles sont trop subtiles pour être assimilées par des supérieurs hiérarchiques incompétents !* »... A oublier.

Ensuite, la question permet de tester votre comportement en situation d'adversité : revenez-vous à la charge ? Abandonnez-vous au premier échec ?

Confronté(e) à ce genre de test, privilégiez, en toute logique, l'attitude la plus professionnelle possible : analyse objective, identification des difficultés, recherche d'une solution optimale. Par exemple, dans ce cas précis : analyse de l'émission (traduction : mes idées sont-elles judicieuses ? Me semblent-elles clairement exprimées ?), analyse de la réception (traduction : la hiérarchie a-t-elle tous les éléments en main pour juger mes suggestions ?). D'où les conclusions que vous tirerez en termes d'actions à mener : reformuler vos suggestions, les détailler, ou encore... claquer la porte d'une entreprise qui ne sait manifestement pas tirer parti de la valeur ajoutée que vous représentez pour elle (alternative à manier avec précaution et en désespoir de cause...)

A côté de la plaque :

• *« J'applique quand même mes idées, sans l'autorisation de mes supérieurs. Plus tard, ils me diront merci ! »... Ou « Au revoir » : court-circuiter la hiérarchie n'a que peu de chances de vous valoir quelque chose de bon. En tout cas, évoquer l'éventualité en entretien d'embauche refroidira à coup sûr votre interlocuteur...*

• *« Je vais les proposer à la concurrence ! ». Bel esprit d'opportunisme... Dommage qu'il ne fasse pas recette en entretien : qui voudrait d'un mercenaire prêt à sonner en face à la moindre contrariété ?*

• *« Je n'insiste pas. Après tout, c'est lui qui dirige, il doit savoir ce qu'il fait, non ? ». D'accord, mais imaginez un instant que le seul défaut de votre idée soit d'être mal exprimée ? Votre manque de ténacité priverait l'entreprise d'innovations éventuellement cruciales...*

Quelle différence faites-vous entre leadership et autorité ?

Une question assez rare... et une façon détournée d'aborder votre relation au pouvoir. Entre les deux notions, la nuance est ténue. Répondre à cette question est un exercice compliqué : on touche ici à certaines notions de management.

Sur le papier, l'idée de leadership renvoie à la place de leader au sein d'une équipe : **le leader dirige une équipe, avec son accord** *(« Comme convenu, vous ferez ceci... »)*. Et il est reconnu comme tel. La notion d'**autorité, en revanche, implique une relation de pouvoir nettement moins conviviale** *(« Vous ferez ceci, et ne discutez pas... »)*. Bref, d'un côté, l'équipe doit se trouver en accord avec les directives, de l'autre, elle doit obéir aux directives quoiqu'elle en pense...

On pourra donc déduire beaucoup de votre réponse... Comment voyez-vous le pouvoir que vous allez être amené(e) à exercer ? Serez-vous ouvert(e) au débat et aux suggestions venant de vos collaborateurs ?

Question subsidiaire : « *Vous voyez-vous comme un leader ou comme un chef ?* »

La tendance « politiquement correcte » est au leadership, néanmoins, vous seriez bien avisé(e) de vous renseigner avant de foncer tête baissée. Certaines entreprises ne jurent que par une autorité quasi militaire (certaines enseignes en grande distribution, par exemple...).

A côté de la plaque :

- *« Aucune. » Perdu : il n'y avait pas de piège !*

Où se situe pour vous l'équilibre entre vie privée et vie professionnelle ?

La question ne se posait même pas durant les années quatre-vingt : tout candidat était alors prêt – au moins lors de l'embauche et en forçant quelque peu le trait – à sacrifier loisirs, vie privée et vie familiale sur le fameux « autel de la réussite ». Signe des temps, les années quatre-vingt-dix ont vu les mentalités évoluer et **l'équilibre entre vie privée et vie professionnelle se recentrer**. Il n'est plus rare aujourd'hui de voir un cadre débutant ou confirmé évoquer les horaires de travail au cours d'un entretien d'embauche, phénomène tout bonnement impensable il y a dix ou quinze ans.

Quoi qu'il en soit **l'arbitrage vie privée / vie professionnelle a désormais son importance.** Il constitue même l'un des éléments essentiels du fameux *« The right man in the right place »*, objectif de tout professionnel du recrutement. Plus la peine de foncer tête baissée en chargeant sabre au poing *(« Dormir sur place ne me dérange pas ! »)* : les exigences des entreprises en la matière sont devenues suffisamment variables pour mériter de votre part un examen préalable. Clarifions tout de même un point essentiel – au cas où – : si les exigences varient d'une entreprise à l'autre, toutes vous réclameront bien entendu un haut degré d'implication : **oubliez dès à présent les vingt heures par semaine de votre année de maîtrise...**

Définissez donc en premier lieu vos limites (suis-je prêt(e) à travailler cinquante ou soixante heures par semaine ? à sacrifier quelques week-ends ? etc.), puis étudiez la politique de l'entreprise rencontrée : est-elle très exigeante vis-à-vis de ses employés ? Ces exigences sont-elles compatibles avec vos propres limites ?

C'est désormais cette compatibilité qui importe, et non une hypothétique norme en matière de sacrifice de la vie privée. Impensable donc de recommander tel candidat attachant une importance considérable à sa vie familiale à telle entreprise où l'on ne peut travailler que sous une pression considérable : il ne tiendra pas six mois ! Egalement impensable d'intégrer un profil de « *workaholic* » (littéralement : « alcoolique du travail » !) à telle organisation traditionnellement réglée par des horaires de présence chronométrés : le malheureux se mettrait son service à dos en quelques semaines...

Voici abordés, en une seule question, les points suivants :

• la place de votre projet professionnel dans votre vie privée ;

• les motivations qui vous poussent à poser votre candidature au poste proposé ;

• votre adéquation, non plus au poste seulement, mais également à la culture d'entreprise au sein de laquelle vous serez amené(e) à évoluer.

Un vaste programme, pour une question impliquant une réponse claire et détaillée, et, en amont, un véritable travail d'étude sur l'entreprise rencontrée.

En résumé, il n'y a pas de « bonne réponse » prédéfinie à ce type de question, plutôt une réponse adaptée d'une part aux exigences spécifiques que vous aurez identifiées au préalable, d'autre part à vos propres limites en matière d'implication dans votre vie professionnelle.

A côté de la plaque :

• *Les réponses du type « Le travail, pour moi, c'est de l'alimentaire, point », définitivement éliminatoires. Le poste doit au contraire présenter pour vous un intérêt intrinsèque.*

La pression vous galvanise-t-elle ?

Sous-entendu : *« Etes-vous capable de travailler sous pression ? »* ou encore *« Le stress vous fait-il perdre vos moyens ? »*.
A l'heure où les entreprises recherchent toujours plus de réactivité, toujours plus de rapidité et d'adaptabilité, où la concurrence se fait parfois particulièrement vive, il est primordial de s'entourer de collaborateurs aptes à supporter une certaine dose de pression.
Un conseil : insistez sur votre résistance au stress sans trop en faire. Expliquez à votre interlocuteur que vous ne pouvez travailler que dans l'urgence et celui-ci traduira *« Il (elle) va stresser l'équipe entière »*. De même, évoquez la tranquillité d'esprit nécessaire à votre efficacité et la traduction ne se fera guère plus attendre : *« On ne pourra pas compter sur lui (elle) dans les moments de rush... »*.
Voyez plutôt du côté des réponses du type : *« Il m'est arrivé de travailler dans l'urgence lorsque c'était nécessaire, mais c'est une situation que je ne cherche pas à générer de mon propre chef : autant réduire au minimum les risques de ne pas atteindre les objectifs fixés. Quant à la pression liée à l'obligation de résultats, je considère effectivement sa présence comme un moteur... »*

En bref, un certain type de pression ne vous dérange pas. De là à vous sentir galvanisé(e) à la perspective d'étudier un dossier particulièrement épineux *(« Tenez, voici le rapport Xb627, on l'a réduit à 1357 pages pour vous permettre d'en terminer l'analyse avant ce soir... »)* alors que tout s'écroule autour de vous, il y a un pas que vous seriez bien avisé(e) de ne franchir que si vous êtes certain(e) que l'entreprise rencontrée évolue sous pression perpétuelle...

A côté de la plaque :
• *« Oh que non. J'ai besoin de sérénité, sinon je ne suis plus bon à rien... ». Ce n'est plus un poste que vous cherchez, c'est une aiguille dans une botte de foin...*

• « *Exactement, il faut que je sois en permanence « limite - limite », sinon je me démotive...* ». *Merci du cadeau : vous serez peut-être aussi zen qu'un moine bouddhiste, mais vous allez déclencher une belle épidémie d'ulcères autour de vous. Sans compter le vôtre, à retardement. Au fait, une précision : saviez-vous que la plupart du temps, les objectifs sont fixés pour être atteints ? Bref, oubliez...*

Bien vu :

• « *Subir une certaine dose de stress est un phénomène auquel on doit s'habituer. Il peut effectivement se révéler mobilisateur. Par exemple, le stress occasionné par cet entretien ne m'empêche en aucun cas d'avoir avec vous un dialogue enrichissant.* » *CQFD...*

Pour vous, les week-ends sont-ils sacrés ?

N'en faites pas trop : vous êtes prêt(e)s à vous investir dans la perspective de ce poste, mais évitez de dire que vous pourriez vous y consacrer jour et nuit. Une telle réponse est suspecte, même si vous vous appelez Hercule, il faut savoir se reposer entre les travaux.
Avec cette question, on continue à tourner autour de l'équilibre entre vie privée et vie professionnelle, mais cette fois on rentre davantage dans les détails. *« Pour vous, les week-ends sont-ils sacrés ?»* signifie très clairement *« Etes-vous prêt(e) à travailler le prochain week-end ? »*

« Je me méfie toujours des candidats qui soutiennent mordicus ne pas concevoir les week-ends sans un minimum de travail », explique l'associé d'un cabinet d'audit. *« Un candidat qui ne disposerait d'aucune soupape pour s'évader de son travail ne me dit rien qui vaille. »* Faites donc bien comprendre que si le travail l'exige, vous êtes prêt, en certaines occasions, à passer les week-ends et les soirées qu'il faut. Précisez, sans rire, que dans certains cas, on dispose chez soi du calme nécessaire pour mieux étudier certains dossiers particulièrement complexes. *« Je savais que mes futurs collègues avocats partaient chaque vendredi soir avec une malette bourrée de dossiers »*, explique Franck. *« Aussi je me suis bien gardé de dire que si j'avais le bonheur d'être embauché, je partirais en week-end sans l'esprit totalement libre. Mais j'ai insisté sur le fait que cela ne servait à rien d'emporter quatre kilos de documents forcément trop lourds à traiter. J'ai dit qu'il fallait sélectionner sa charge de travail pour la fin de la semaine, quitte à n'emporter qu'un dossier mais à condition de le traiter de fond en comble. Ils se sont dits : voilà un mec qui va au fond des choses. »*

Dans certains secteurs, la distribution par exemple, on travaille le week-end. Vous avez intérêt à le savoir avant d'aller passer l'entretien, sinon votre connaissance du domaine sera considérée comme nulle et non avenue pour le poste.

A côté de la plaque :

• *« Moi, les week-ends, je fais du sport », ou « moi, les week-ends, je vais au cinéma », ou encore, « moi, les week-ends, je me sauve à la campagne. » Dans le cas présent, votre vie privée importe peu.*

Savez-vous vous adapter ?

S'adapter à quoi ? A son patron ? Aux horaires démentiels ? Aux contraintes de résultats ? A la concurrence ? C'est là toute la difficulté de la question : elle est très ouverte et laisse place à un large éventail de réponses. Ne demandez surtout pas au recruteur à quel type d'adaptation il fait référence.

Primo, vous lui montrez que vous n'avez pas compris la question. Secundo, vous lui suggérez qu'il a mal formulé sa question. Le plus souvent, cette question surgit assez tard dans l'entretien : auparavant, vous avez fait le tour du poste, mesuré ses difficultés, et il s'agit pour vous de montrer combien votre profil est en parfaite adéquation avec la fonction. Donc, vous savez vous adapter. (Répétez après nous : « je sais m'adapter. ») Ne lancez pas cette réponse dans le vague : le poste est en toile de fond, alors servez-vous-en.

Dites que les compétences demandées pour cette fonction se nourrissent d'une faculté d'adaptation et vice-versa. Votre interlocuteur sait que le poste demande des capacités d'adaptation, alors rassurez-le en prenant des exemples précis : un stage à l'étranger, un changement d'orientation dans vos études, un voyage mouvementé... L'imprévu ne vous effraie pas : il faut faire passer le message.

Variantes :

• *« Avez-vous besoin d'un cadre très précis pour travailler ? »*

• *« Etes-vous perdu(e) sans un plan de travail ? »*

• *« Etes-vous capable de passer rapidement d'un interlocuteur à l'autre, d'une mission à l'autre ? »*

A côté de la plaque :

• *« Sans point de repère, on est forcément foutu. »*

• *« J'ai besoin de travailler longtemps sur les dossiers pour ne pas me faire surprendre. »*

• *« On s'habitue à tout. »*

A noter :

- *Un stage ménage toujours quelques surprises. Alors si vous vous sentez à sec à propos des expériences qui témoignent de votre faculté d'adaptation, pensez immédiatement stage. Le seul fait de débarquer pour quelques semaines ou pour quelques mois dans une entreprise lambda avec des gens inconnus fournit quand même une belle preuve d'adaptation. Servez-vous-en.*
- *Même principe pour les déménagements. Avoir dû changer d'environnement géographique atteste de certaines capacités d'adaptation.*

Etes-vous mobile ?

« Ils ne vont quand même pas m'envoyer à l'autre bout de la France. » Allons donc, vous êtes quand même au courant de la situation économique. Et vous savez que de moins en moins de carrières se déroulent à l'ombre du clocher du village de son enfance. Aujourd'hui, **il faut savoir bouger aussi bien pour trouver du travail qu'une fois solidement installé(e), pour progresser**. Certains métiers prédisposent particulièrement à la mobilité : puisque vous vous dirigez vers l'un d'entre eux, vous êtes évidemment mobile. Etayez simplement votre réponse en mentionnant vos facultés d'adaptation, qui ne sont pas seulement géographiques.

Même si vous postulez à un emploi ultra-sédentaire (*a priori* vous ne bougerez pas dans les quinze ans qui viennent), il n'empêche, vous connaissez les enjeux de la mobilité et vous le faites savoir : le recruteur en profitera pour apprécier votre souplesse d'esprit.

Concernant la mobilité, un petit topo en termes socio-économiques peut faire de l'effet. Il témoigne aux yeux du recruteur de vos connaissances des contraintes qu'engendre aujourd'hui la vie professionnelle.

Variantes :

- *« Etes-vous prêts à bouger pour votre travail ? »*
- *« Les déménagements ne vous font pas peur ? »*
- *« Vous avez des fils à la patte ? »*

Et puis toutes les questions relatives à la situation familiale du conjoint, autant de questions déguisées mesurant votre capacité à bouger.

A côté de la plaque :

- *« Vous savez, les plus grands voyages sont ceux qu'on fait autour de sa chambre. »*
- *« J'emprunte tous les jours les transports en commun. »*
- *« Pour ne rien vous cacher, je n'ai pas mon permis de conduire. »*
- *« J'ai peur quand je prends l'avion. »*

Bien vu :

• *Le goût des voyages aussi est un signe de mobilité. Si vous avez quelques destinations singulières à votre actif, attirez (discrètement) l'attention dessus. A défaut de manifester un enthousiasme vibrant pour la mobilité professionnelle, vous montrez au moins que vous n'êtes pas du genre à rester les deux pieds dans le même sabot.*

Vous recevez quatre propositions d'embauche, laquelle choisissez-vous ?

Rien ne séduira plus un recruteur – et une entreprise – qu'un candidat sûr de ses choix et capable de prendre des décisions réfléchies en trente secondes montre en main. Gage pour l'entreprise d'autonomie, de sécurité, et d'efficacité, votre aptitude à décider vite et bien vous vaudra les faveurs de nombre de professionnels du recrutement... à condition de savoir la mettre en avant. C'est exactement l'opportunité que ce type de question vous offre.

Fournir une réponse adaptée à ce genre de question implique un minimum de réflexion préalable. Surtout, il vous est absolument nécessaire d'identifier clairement les critères de votre sélection. Un fois de plus, tout va dépendre de votre décidément crucial projet professionnel (on ne le répétera jamais assez : peaufinez-le dans ses moindres détails !).

Une recette infaillible : attaquez par une phrase générique du genre *« Je choisis l'offre cadrant le mieux avec mon projet professionnel, c'est-à-dire... »* puis listez vos critères de sélection par ordre décroissant d'importance : tel type de poste, tel secteur d'activités, telle structure d'entreprise, telles possibilités d'évolution, etc. (ne parlez pas encore de salaire...)

Ne perdez pas de vue, cependant, que cette question trouve une traduction élémentaire à condition de décoder quelque peu : *« Notre offre correspond-elle réellement au poste que vous recherchez ? »* Il reste en effet essentiel pour votre interlocuteur de déceler votre motivation potentielle. A valeur égale, c'est bien entendu le candidat le plus motivé qui décrochera le poste. L'un des objectifs majeurs du recruteur, en vous posant cette question, va consister à déterminer si oui ou non vos critères de choix apparaissent compatibles avec la place que vous occuperez dans l'entreprise au cas où vous seriez retenu(e). A vous donc de justifier votre choix de façon pertinente tout en gardant à l'esprit que l'une des quatre propositions évoquées n'est autre, bien entendu, que celle qui vous est faite à l'instant même où vous parlez...

Avez-vous d'autres propositions d'embauche, ou, en tout cas, d'autres pistes d'emploi ?

Ne croyez pas qu'une réponse négative sera synonyme du grand attachement que vous portez à l'entreprise. Le poste que vous visez a beau constituer votre seule piste un peu sérieuse, le recruteur ne sera pas tellement réceptif à cette touchante confession. Les recruteurs aiment bien savoir qu'ils ne sont pas les seuls sur un bon profil. Surtout, ne brodez pas. « *Combien de candidats nous disent qu'ils sont en contacts avancés avec telle ou telle entreprise* », s'exclame un directeur de publicité. « *Deux ou trois questions plus loin, on s'aperçoit qu'ils ont tout juste envoyé un CV et une lettre. Comment voulez-vous qu'on fasse confiance à des gens qui mentent aussi effrontément ?* » Conseil : dites que vous avez un certain nombre de pistes, que certaines sont plus avancées que d'autres, mais que celle qui vous intéresse, c'est peut-être celle qu'on vous fera au terme de l'entretien (ou de la série d'entretiens) en cours. Résultat : votre interlocuteur sait que vous n'êtes pas totalement démuni(e), il sait aussi qu'il représente beaucoup pour vous.

Variantes :

- « *Rencontrez-vous d'autres entreprises dans un avenir proche ?* »
- « *Allez-vous devoir faire un choix entre les propositions ?* »

A côté de la plaque :

- « *Je croule sous les propositions.* » *Alors pourquoi êtes-vous là ?*
- « *Cela marche plutôt bien en ce moment, mais je fais un petit tour d'horizon du marché.* » *Le recruteur aura l'impression que vous le considérez comme quantité négligeable.*
- « *C'est le calme plat. Alors si ça ne marche pas avec vous, je ne vois pas très bien ce que je vais pouvoir faire.* » *Si gentil soit le recruteur, il n'est pas là pour vous rendre service mais pour rendre service à son entreprise.*
- « *Monsieur Machin m'a parlé de vous, il m'a dit que vous me feriez une proposition inférieure à la sienne.* » *Vous mettez le couteau sous la gorge du recruteur.*

PARTIE IV

LE MOMENT DE VÉRITÉ

1. On vous teste

Cherchez-vous du travail depuis longtemps ?

Tout le monde le sait, pour les jeunes diplômés, la durée de la recherche d'emploi s'est considérablement allongée. Désormais, « patienter » plus d'un an n'a hélas rien d'exceptionnel. Au-delà, surtout si votre CV le mentionne très explicitement (pas de stages, pas d'addition de diplômes), le recruteur peut légitimement s'interroger.

Qu'il comprenne d'abord que vous n'êtes pas prêt à prendre n'importe quoi. Montrez-lui que vous connaissez l'importance du premier emploi, que vous savez que le premier poste conditionne parfois tout le reste d'une carrière et qu'il ne faut surtout pas se tromper.

Sans vous attarder sur des épisodes malheureux, dites que souvent vous n'avez pas été loin d'aboutir. Dites aussi que vous ne vous accommodez pas de la situation et que vous ne passez pas vos journées à lire les petites annonces et à rédiger quelques lettres de motivation. La recherche d'un emploi a beau être un métier à temps plein, ce n'est pas pour autant que vous ne faites que ça : les mentions d'expériences associatives, voire de petits jobs exercés pour gagner de l'argent, seront ici les bienvenues. Certes, vous êtes au chômage mais **vous n'êtes pas inactif(ve) pour autant** : voilà le sentiment que vous devez donner au recruteur, avant de souligner les points forts qui vous laissent espérer que cette situation ne durera pas éternellement. Si d'aventure, vous souhaitez expliciter les points faibles qui vous pénalisent, allez-y molo. Vous n'êtes pas en pleine séance d'auto-flagellation.

Variantes :

- *« Vous avez multiplié les stages ? »*
- *« Pourquoi un CDD est-il déjà tellement difficile à décrocher ? »*
- *« Malgré la conjoncture, vous arrivez à garder le moral ? »*

A côté de la plaque :

- *« Je cherche depuis longtemps. » (phrase ponctuée d'un gros soupir)*
- *« Vous êtes la personne qui va me tirer de ce mauvais pas. »*
- *« Je ne vais quand même pas finir sous les ponts. »*
- *« Je ne pourrais pas faire un petit stage chez vous en attendant ? »*
- *« Les entreprises ne donnent pas leur chance aux jeunes. »*
- *« Vous ne connaissez pas des entreprises qui embauchent ? »*
- *« Quels conseils me donneriez pour que je sois plus performant(e) en entretien ? »*
- *« Je crois qu'en moyenne, les jeunes diplômés mettent entre 12 et 16 mois pour trouver. »*
- *« Je pense que je vais finir par reprendre des études. »*
- *«Et si je partais pour l'étranger ? »*
- *« A force d'enchaîner les entretiens, je répète toujours les mêmes choses et j'ai du mal à me singulariser. »*
- *« Vous allez embaucher dans d'autres secteurs ? »*

Quelle est la décision la plus difficile que vous ayez eue à prendre ?

Simple curiosité de recruteur ? Pas seulement : votre réponse sera en tout état de cause révélatrice des **domaines auxquels vous accordez une certaine importance**, d'une part, et de **votre notion de la difficulté** d'autre part. Bien entendu, cette question débouche également sur la façon dont vous traitez un problème de choix.
La décision à laquelle vous avez eu à faire face devait être digne de retenir votre attention. Surtout, vous avez su faire le bon choix relativement rapidement.

Question subsidiaire :

• *« Avez vous des regrets à ce propos ? » ou « Estimez-vous aujourd'hui avoir fait le bon choix ? » : oui, définitivement. Dans le cas contraire, laissez cet épisode de votre vie de côté et abordez une autre décision importante : il est hors de question de faire étalage de votre versatilité au cours d'un entretien d'embauche...*

A côté de la plaque :

• *« Repeindre mon appartement en vert ou en jaune. Je n'ai d'ailleurs toujours pas pu m'y résoudre... » Il est absolument essentiel que vous ayez effectivement tranché lorsque vous avez dû prendre cette fameuse décision ! Quelle entreprise souhaiterait s'entourer de collaborateurs en hésitation perpétuelle devant des dilemmes cruciaux du type : « Encre bleue ou encre noire ? »*

Bien vu :

• *« Choisir ma formation » : vous montrerez à votre interlocuteur que vous aviez conscience du caractère décisif du choix que vous avez alors fait, que vous avez comparé les différentes options qui s'offraient à vous, et que vous aviez déjà une idée de la direction professionnelle à prendre, bref, que vous aviez déjà atteint un certain stade de maturité à un âge où d'autres se préoccupent essentiellement de choisir la couleur de leur nouveau scooter.*

A quelle question n'aimeriez-vous pas répondre ?

Surtout, évitez de dire que vous ne redoutez aucune question. Fort de cette réponse, le recruteur en profiterait pour vous emmener en terrain miné en vous posant par exemple des questions personnelles. Parallèlement, inutile de dire que vous craignez telle ou telle question en particulier. D'abord, vous n'êtes pas là pour étaler vos faiblesses, ensuite ce serait dommage de se faire « coller » sur un thème que vous avez donné en pâture à votre interlocuteur. Car ne croyez pas que le recruteur, si d'aventure vous lui confiez vos lacunes, va passer outre. Quatre fois sur cinq, il va creuser un peu ce sujet épineux. Et cela risque de faire mal. Alors procédez finement : soulevez une question un tantinet complexe à laquelle en réalité vous savez répondre. Comme ça, si on vous interroge, vous saurez vous en dépêtrer. Attention, ne vous lancez pas dans un brillant exposé, rappelez-vous que c'est une question qu'en théorie vous ne maîtrisez pas.

Si vous sentez que l'entretien se passe bien, n'hésitez pas à renvoyer (doucement) le recruteur dans ses 22 mètres : par exemple, en disant que sur tous les thèmes qui touchent directement à votre candidature, vous vous sentez armé(e). Ou enfin, dites que les questions trop personnelles vous gênent, parce que la vie ne regarde que chacun. Réponse tout à fait acceptable et à propos de laquelle il sera difficile de venir vous chercher des poux.

Variantes :

- *« Y a-t-il un sujet qui vous met mal à l'aise ? »*
- *« Y a-t-il un domaine que vous ne maîtrisez pas ? »*

A côté de la plaque :

- *« Tous les sujets me sont familiers. »*
- *« Je crois que j'ai une solide culture générale (vous ne répondez pas à un QCM). »*
- *« J'ai une très grande ouverture d'esprit (vous sous-entendez que les questions du recruteur se sont cantonnées jusque-là à un domaine étriqué). »*
- *« Allez-y, vous allez bien voir. »*

Vous vous engagez dans une action humanitaire, laquelle choisissez-vous ?

Vous œuvrez effectivement pour une association à vocation humanitaire ? Dans ce cas aucun problème, l'affaire est réglée. Sinon, prenez le temps de réfléchir dès à présent... Dans tous les cas, voici une question originale et à double détente.

En fait, si votre réponse ne présente en soi qu'un intérêt limité (découvrir que telle ou telle grande cause vous mobilise n'a rien d'essentiel dans le cadre d'un entretien d'embauche), elle permettra à un recruteur avisé de rebondir en prenant votre contre-pied.

Le but ? **Tester votre solidité et votre force de conviction** face à un détracteur. Savez-vous défendre vos idées ? Comment allez-vous vous justifier ? Ferez-vous valoir votre subjectivité ? Chercherez-vous à argumenter afin d'objectiver votre choix ? Voilà un excellent moyen de s'en rendre compte par la pratique...

L'argument : toutes les œuvres à caractère humanitaire se valent, et les choix en la matière dépendent uniquement de la sensibilité de chacun. Vous amener sur ce terrain fournit une splendide occasion de vous contredire. Démonstration.

• ***Recruteur (à froid)***
« Bon, vous vous engagez dans une action humanitaire, laquelle choisissez-vous ? »
• ***Candidat (décontenancé)***
« Euh... Amnesty International... »
• ***Recruteur (feignant l'indignation)***
« Vous me surprenez... Et que faites-vous de la faim dans le monde ? C'est autrement plus important, non ? Je ne vous suis pas, expliquez-moi... »
• ***Candidat (accusant le coup et recouvrant son calme)***
« Je pense que la misère ou la famine sont des conséquences – graves, il est vrai – de difficultés qui surgissent en amont. Je crois qu'il faut prendre le problème à la racine. En l'occurrence, la liberté

d'expression est essentielle et permet de progresser. C'est de plus une valeur à laquelle je suis particulièrement attaché. Voilà pourquoi je choisirais Amnesty International... »

Vous voyez le principe ?

Comment vous tenez-vous informé(e) ?

Encore une question à tiroirs, anodine en surface seulement : en répondant, vous fournirez à votre interlocuteur de précieuses indications quant à votre besoin d'être rassuré – ou non – par une formation permanente. La demande d'information d'un candidat rejoint en effet ses besoins en formation. De là, la « surdiplômite », affection chronique dont souffrent bon nombre de candidats et dont s'amusent gentiment certains recruteurs (*« Si des septièmes ou douzièmes cycles existaient, je suis persuadé que certains s'inscriraient... »*).

En résumé : **votre désir de vous tenir informé(e) constituera un gage convaincant de votre ouverture au monde**, mais la quête de l'information – et de la formation – à tout prix aura toutes les chances de traduire un manque de confiance en soi mal digéré ! Evidemment, le « comment » implique le « pourquoi » : *« Vous lisez la presse économique et financière ? Très bien, pourquoi ? »*. De fil en aiguille, les candidats se livrent sans même en avoir conscience : centres d'intérêts professionnels, personnels, etc., et dévoilent leurs contradictions en toute bonne foi : *« Vous dites être attiré(e) par l'export mais vous ne lisez jamais les rubriques "international" ? C'est curieux... »*.

En bref, les questions anodines, en permettant à votre interlocuteur de reboucler encore et encore, auraient toutes les chances de vous prendre par surprise si jamais vous trichiez avec vous-même...

Avez-vous déjà songé à prendre une année sabbatique ?

« Il se moque de moi ou quoi ? Ça fait six mois que je cherche du boulot et il me demande si j'ai envie de mettre les voiles. Non, mais je rêve ! » Evidemment, toute ressemblance avec les pensées d'un candidat interrogé de la sorte serait purement fortuite. On vous l'accorde, cette question recèle un brin de provocation. Mais il faut faire avec... En aucun cas, ne reliez votre recherche d'emploi à la perspective d'une année sabbatique. Dire *« si je ne trouve pas avant la fin de l'année, je fais un break »* ou *« en sortant de l'école, c'était tellement bouché que j'ai voulu partir faire le tour du monde »* produira une fâcheuse impression : votre propension au découragement, votre manque de pugnacité ou votre côté un peu baba-cool seront stigmatisés. Répondez que *« non, on ne songe pas à prendre une année sabbatique quand on démarre sa carrière professionnelle et qu'il y a d'autres priorités plus urgentes. »*. Dites aussi que l'hypothèse apparaît séduisante mais qu'**elle correspond mieux à des gens ayant déjà fait leurs preuves** : autrement dit, pourquoi pas à condition d'avoir les moyens de le faire. Même si une année sabbatique ressemble souvent à une année charnière – c'est un peu l'heure des bilans, des remises en question –, évitez d'aborder le domaine de l'introspection : vous êtes dans un bureau, pas sur un divan.

A côté de la plaque :

- *« Pourquoi, vous seriez prêt à m'embaucher dans un an ? »*
- *« C'est une chose à laquelle vous pensez vous-même ? »*
- *« Vous savez, je n'ai pas de temps à perdre. »*

2. Les grands classiques

Le « top ten » des questions les plus posées en entretien :

1) Présentez-vous...
2) Quels sont vos points forts et vos points faibles ?
3) Etes-vous célibataire ?
4) Pourquoi nous avez-vous contactés ?
5) Que savez-vous de notre entreprise ?
6) Expliquez-moi la logique de votre parcours...
7) Quelles bonnes raisons aurions-nous de vous embaucher ?
8) Quelles sont vos prétentions en matière de rémunération ?
9) Comment avez-vous trouvé votre stage ?
10) Comment vous voyez-vous dans dix ans ?

Pouvez-vous vous présenter ?

« C'est la question la plus basique, mais celle paradoxalement à laquelle les candidats semblent le moins bien préparés », constate un chasseur de tête, *« le plus souvent ils prennent l'air étonnés et déclinent leur carte d'identité – nom, prénom, date de naissance, situation matrimoniale – d'un ton monocorde, soit tous les renseignements que vous connaissez déjà et qui n'apportent rien de plus par rapport à la lecture du CV. »*

C'est vrai qu'*a priori*, on voit mal comment répondre de façon originale à une question qui sous-entend une réponse désespérément classique. Pourtant c'est possible, à condition d'apporter des **éléments invisibles sur le CV** ou **simplement ébauchés**. Par exemple, vous faites du sport à un bon niveau et vous en profitez pour aborder le sujet. Ou vous venez de terminer un stage passionnant et vous tâchez de résumer cette expérience, du style *« je m'appelle Tartampion et je viens de passer trois mois chez machin où j'ai fait ceci et cela. »* Rien de très novateur peut-être, mais au moins vous ne passez pas par la case état-civil et c'est vous même qui prenez l'initiative de démarrer l'entretien sur le plan professionnel.

Eventuellement, on peut axer sa présentation sur le poste ou l'entreprise. Pour autant, ne jouez pas les Zorro en affirmant d'emblée que vous êtes l'homme de la situation, celui que le recruteur recherche désespérement. La ficelle est beaucoup trop grosse, **sans compter qu'un entretien, ça se démarre en douceur. Il faut donner envie à votre interlocuteur d'en savoir plus sur vous, que ce soit sur votre potentiel professionnel ou votre personnalité.**

Quelles sont vos qualités ? Vos défauts ?

Classique parmi les classiques de l'entretien d'embauche, cette question reste un passage obligé pour de très nombreux professionnels du recrutement : « *cette question nous fournit encore des éléments d'analyse intéressants malgré la préparation des candidats...* ». Il s'agit en effet de plonger directement à l'essentiel : **les points faibles du candidat et la perception qu'il a de sa propre personnalité.**

Bien sûr, attendez-vous à faire face à de très nombreuses variantes. Certains recruteurs préféreront évoquer « vos points forts et vos points faibles », d'autres, en revanche, vous questionneront sur vos seuls défauts *(« On connaît déjà les points forts du candidat, ses qualités, il n'aura pas manqué de nous les montrer tout au long de l'entretien. Les points faibles, par contre, sont masqués. Le candidat lui-même doit aller les chercher. C'est ce moment précis qui est véritablement digne d'intérêt... »)*. Autres variantes : « *Citez moi trois de vos qualités et trois de vos défauts...* » ou encore « *Votre plus grande qualité et votre plus grand défaut ?* »

Qu'importe le flacon... L'objectif pour votre interlocuteur ne varie guère : en savoir plus sur votre talon d'Achille. Le classicisme même de la question en fait un cas particulier : chaque candidat l'aura soigneusement préparée. Et chaque recruteur sait que tous les candidats l'auront préparée ! A vous de vous différencier intelligemment !

Quelques conseils de base :

• *Evitez soigneusement de citer des points forts ou des points faibles qui ne vous correspondent pas en réalité. « Ca ne marche jamais : on peut préparer la question, d'accord, mais verser dans la fable relève du suicide. Autant se dire ponctuel(le) en arrivant dix minutes en retard ! »*

• *Choisissez bien entendu des caractéristiques trouvant une application dans votre vie professionnelle ou mieux, dans le cadre du poste auquel vous postulez : votre interlocuteur se montrera peut être ravi d'apprendre que vous cuisinez le chili con carne « à merveille », mais l'argument révélera toute sa légèreté dès qu'il s'agira de le convaincre que cela fait de vous un excellent commercial...*

• Retenez autant que faire se peut des points faibles ne prêtant guère à conséquences dans un cadre professionnel. Le comble du luxe en la matière... Trouver la perle rare : un défaut en règle général devenu qualité dans son application au poste qui vous préoccupe. Attention tout de même à ne pas sombrer dans le tout-venant : on ne compte plus les comptables pointilleux, commerciaux entêtés, chercheurs trop curieux, etc.

• En matière de réponse, les classiques ne font plus guère recette... Rapide état des lieux : le « top five » – officieux – des qualités/défauts les plus cités :

1) « Je suis perfectionniste. »

2) « Je suis doté(e) d'une grande capacité d'analyse. »

3) « Je suis rigoureux(se). »

4) « Je suis timide. »

5) « Je suis têtu(e). » (défaut)/« Je suis tenace. » (qualité)

• Justifiez vos allégations. Attendez-vous à devoir démontrer chacune de vos caractéristiques (« Vous êtes créatif(ve) ? Qu'est ce qui vous fait dire ça ? »). Pendant que vous y êtes, creusez un peu du côté de vos points faibles : quels sont ceux qui vous gênent le plus ? Comment souhaiteriez-vous les améliorer ? Cela vous permettra de « rebondir » sur la question en enchaînant directement : « J'ai tendance à douter de moi-même, cela me pose de réels problèmes tout en constituant un moteur à mon action au quotidien : mes décisions sont mûrement réfléchies. Chaque succès réduit l'étendue de ces doutes. Dans cette optique, occuper ce poste de chef de projet me permettra de mener à son terme une nouvelle action d'envergure, et donc d'acquérir un supplément de confiance en mes propres compétences... »

A côté de la plaque :

• « Je n'ai pas de points faibles... » : perdu, vous en avez au moins un : l'excès de confiance en soi est un vilain défaut !

• Une pirouette à bannir : « On a les défauts de ses qualités ». Définitivement éculé, l'argument fera sourire votre interlocuteur s'il est

dans un bon jour, l'agacera franchement s'il s'est levé du pied gauche. Une bonne fois pour toutes : il n'y a rien de pire qu'un mot d'esprit galvaudé. Tenez-vous le pour dit...

• Le « A côté de la plaque » d'or : « Des faiblesses ?... Moi ?...Non, non, je ne vois pas... Ah si ! Je suis perfectionniste ! Oui voilà, c'est ça... » (Spud, « Trainspotting »).

Bien vu :

• « Je répondais en commençant systématiquement par "Mes amis disent de moi que je suis...". Cela me permettait de désamorcer une éventuelle question ultérieure du genre "Que pensent de vous vos amis ?" », explique Marie, 26 ans, désormais chef de publicité.

Quelles bonnes raisons aurions-nous de vous embaucher ?

Traduction : *« Vous avez trois minutes pour vous vendre... »*. La question est à la fois cruciale et tout à fait courante : deux bonnes raisons d'en préparer la réponse à l'avance.
Il va vous falloir concentrer en trois ou quatre phrases les grands arguments qui font de vous le candidat idéal. Là encore, inutile de tergiverser : **allez à l'essentiel !** Le moment est venu de placer un condensé de votre **« argumentaire de vente »**.

Passez rapidement sur les qualités que la plupart des candidats pourront présenter (adaptabilité, disponibilité, mobilité, etc.). En revanche, insistez sur vos **« avantages concurrentiels », les points forts dont vous estimez avoir la quasi-exclusivité**. Ce sont ces différences qui feront la... différence, justement. Votre objectif est simple : à l'issue de votre réponse, votre interlocuteur doit se trouver convaincu de l'excellence de votre candidature, rien de moins !

N'omettez pas de valider vos arguments. Un exemple et une référence significatifs valent souvent mieux qu'un long discours *(« J'ai d'ores et déjà une bonne connaissance de la parthénogenèse, mes nombreux stages dans ce secteur sont là pour le prouver... »)*. Montrez surtout ce que vous pouvez apporter à l'entreprise (ne vous demandez pas ce que l'entreprise peut faire pour vous mais ce que vous pouvez faire pour l'entreprise, en somme...). Pas question de fabuler *(« J'ai de grands projets pour nous... »)* mais **n'hésitez surtout pas à vous mettre en avant**. C'est exactement ce qui vous est demandé.

A noter :

• *Cette question pour le moins ouverte constitue une phase importante de l'entretien d'embauche : le recruteur vous laisse alors toute latitude pour le convaincre. A tel point que nous ne saurions trop vous conseiller d'amener vous-même le sujet sur le tapis au détour de la conversation si d'aventure votre interlocuteur ne vous la posait pas de lui-même...*

A côté de la plaque :

• *« Je suis un peu gêné(e) de répondre à cette question... Demandez plutôt à mon responsable de stage, il vous dira, lui... ». Peut-être, mais c'est à vous que l'on pose la question. Se connaître, c'est aussi connaître ses points forts, or il vous est demandé avant tout de bien vous connaître. Et puis, comme dit le proverbe, « on n'est jamais aussi bien servi que par soi-même », non ?*

Comment vous voyez-vous dans dix ans ?

Bien placé au « top ten » des questions les plus posées en entretien, **ce petit test en forme d'exercice de prospective demande une réelle préparation**. Pas question d'improviser, vous donneriez l'impression d'avoir mal pensé votre projet professionnel. Alors reprenez les grands points de celui-ci et essayez de dater vos objectifs. Construisez l'historique des grandes étapes de votre carrière. En toute logique, la solution se dessinera d'elle-même.

Vous y voyez plus clair ? Bien. Mais ce n'est pas tout. Sachez que l'on n'attendra pas de vous une **réponse ferme et définitive** du style : *« Je serai directeur général. »* Argumentez et développez : *« L'important ici, c'est le parcours que projette le candidat »*, souligne Olivier Cruchot, directeur associé du cabinet AlterEgo. Ainsi, tâchez de fournir le « comment » et le « où » autant que le « quoi » et le « quand », justifiez-vous : un vœu pieu ne vous vaudra rien.

Une fois encore, montrez-vous **cohérent et lucide**. La réponse que vous formulerez doit constituer l'aboutissement d'un plan de carrière censé apparaître détaillé à moyen terme, le résultat d'une démonstration « bétonnée ». Evitez donc les réponses elliptiques du genre : *« Il m'est difficile de me projeter dans l'avenir, il est tellement incertain que je risquerais de vous fournir une réponse erronée... »*. Votre grande sagesse passera pour une frilosité immobiliste, et l'ambition en demi-teinte que laissera supposer votre réponse ne contentera pas votre interlocuteur.

Mais attention : l'ambition n'est pas incompatible – loin de là – avec un minimum de clairvoyance. A vous donc de trouver le bon dosage. Laissez de côté, dans un premier temps, votre vie privée pour vous concentrer sur l'aspect professionnel de votre parcours. Attendez que l'on vous demande des précisions quant à votre situation sur ce plan (« Et vous vous voyez marié(e) ? Célibataire endurci(e) ? ») pour en fournir. Marié(e) ? Célibataire ? N'ayez de scrupule ni dans un cas, ni dans l'autre : le mariage apparaîtra comme un gage de stabilité et d'équilibre, le célibat comme un signe extérieur de disponibilité et de mobilité...

Attention : cette question constitue bien entendu l'occasion rêvée de vous tester sur le terrain de la projection dans l'avenir. Evitez donc les débordements mégalos *(« Je serai maître du monde et régnerai sans partage. »)* comme les objectifs étriqués *(« Je serai sans doute assistant maître du monde à mi-temps, mais c'est pas gagné. »)*, trop timorés. Bref, vos dents doivent être longues sans pour autant rayer le plancher. Encore une fois, montrez vous lucide, c'est le moment ou jamais...

Variante :
• *« Où vous voyez-vous dans 5/10/15 ans ? »*

A côté de la plaque :
• *Déballer d'emblée la projection de sa vie privée (« Je serai marié(e), deux enfants, un chien et des perruches, avec une maison à la campagne pour se reposer le week-end. »)*
• *Mégalomanie galopante et non argumentée (« Limpide : je serai maître de l'univers, pourquoi ? »)*

Bien vu :
• *L'ambition réaliste : « C'est en gardant les pieds sur terre que nous nous élèverons vers de nouveaux horizons ! ». Autrement dit, on appréciera que vous teniez compte de vos envies et passions, mais aussi de l'état du marché professionnel lors de la présentation de votre projet de carrière (« – Je me vois bien spécialiste en parthénogenèse du poulpe...– Ah ? Mais sur 10 000 diplômés, seulement 150 accèdent à ce statut... – Oui, et alors ? »).*

3. L'heure tourne

Que pensez-vous du déroulement de cet entretien ?

Attention au ton avec lequel cette question est posée. **S'il est agressif, vous avez un peu de souci à vous faire.** Le recruteur n'est pas très satisfait de votre prestation et il cherche à vous le faire savoir par un moyen (à peine) détourné. Auquel cas **ne fuyez pas vos responsabilités** : ne dites pas bien sûr que vous avez été mauvais mais déviez habilement sur un ou plusieurs sujets que vous auriez pu mieux développer. Par exemple : « *Je regrette juste de ne m'être pas attardé(e) sur mon stage à l'étranger, tant cette expérience a été riche de contenu.* » Ou : « *Je suis content(e) de m'être exprimé(e) largement sur ma personnalité, mais j'aurais souhaité que l'on s'attarde davantage sur les étapes de ma formation.* »

Si le ton de cette question est neutre, voire conciliant, c'est meilleur signe : le recruteur s'interroge cette fois sur votre perception de l'entretien. Il veut savoir si vous savez ou pas bien vous juger. Evidemment, proscrivez toute euphorie. Une phrase du style « *je suis satisfait(e) du déroulement de cet entretien parce que je crois vous avoir donné satisfaction* » sera interprétée comme de la suffisance de votre part. En règle générale, tâchez de ne pas trop personnaliser votre réponse : dites que l'entretien a permis de vous faire une idée très juste à la fois du poste et de l'entreprise, **soulignez combien certains apports du recruteur ont été enrichissants**, faites comprendre que si l'entretien s'est aussi bien passé, c'est parce que l'échange a été d'une réelle qualité. Sous-entendu à peine voilé : le recruteur a posé les bonnes questions.

Variantes :

- « *Etes-vous satisfait(e) de cet entretien ?* »
- « *Pensez-vous nous avoir donné satisfaction ?* »
- « *Etes-vous content(e) de votre prestation ?* »

Souhaitez-vous ajouter quelque chose ?

Tiens, l'entretien tire à sa fin. Raison de plus pour ne pas fléchir au cours des dernières minutes. A travers cette question, le recruteur mesure votre perception de l'entretien. Comme vous n'êtes pas à la douane, vous avez forcément quelque chose à déclarer. Attention : si vous dites n'avoir rien à ajouter, vous avez tout faux. Au contraire, en ajoutant quelque chose, vous montrer que l'entretien vous a intéressé(e) et qu'il débouche pour vous sur d'autres horizons. Donc prenez de la hauteur avec ce qui vient d'être dit. Ne revenez pas sur un point, ne vous confondez pas en remerciements – un entretien n'est pas une garden party –, ne prenez pas date – dans la plupart des cas, le recruteur vous dira quand il vous rappellera –, choisissez plutôt de vous étendre sur un aspect de l'entretien qui englobe les autres. Par exemple, vous savez que l'entreprise qui vous accueille nourrit de grands projets à l'international : dites alors que vous espérez y être associé(e). Ou si le poste est très technique, rappelez que c'est d'abord à l'œuvre qu'on repère la qualité des cadres. Si la fonction réclame un gros investissement en temps, dites que vous n'êtes pas avare de vos efforts... En un mot, livrez-vous à des considérations pertinentes et d'ordre général et qui sous-tendent que vous pensez avoir réussi votre entretien. A proscrire le *« je ne suis pas très content de moi mais je ferais mieux la prochaine fois. »*

Si un thème important (stage, formation, expériences professionnelles...) **a été totalement édulcoré pendant l'entretien, dites que vous auriez aimé l'aborder parce qu'il soutenait bien votre projet de candidature**. Pour autant, évitez de dire que vous auriez souhaité que l'entretien se prolonge beaucoup plus longtemps. Cela sous-entend que tout ce qui vient de s'échanger n'a pas contribué à éclairer la lanterne du recruteur. Se faire ainsi signifier que ses propres questions n'ont pas grand intérêt est toujours difficile à avaler.

Variantes :

- *« Souhaitez-vous compléter cet entretien ? »*
- *« Y a-t-il un point que nous n'avons pas abordé ? »*
- *« Avons-nous été complets ? »*

A côté de la plaque :

• *Au fil de l'entretien, il y a eu une question que vous avez mal maîtrisée : ce n'est pas le moment de vous raccrocher aux branches en disant que justement, si vous deviez ajouter quelque chose, ce serait à propos de cette question-là. Non seulement vous affichez un signe de faiblesse en lui montrant que vous avez été défaillant(e) au moins sur un point, ensuite vous trahissez la vocation de la question qui consiste à tester votre capacité de synthèse.*

Pouvons-nous nous revoir très rapidement ?

Les choses se présentent bien puisque le recruteur souhaite vous revoir dans un avenir très proche, lui ou d'autres personnes de l'entreprise. Pas question de refuser, mais veillez à ne pas vous enflammer. Sortez votre agenda, c'est la marque d'une personne organisée, et voyez avec votre interlocuteur quelle date vous convient à tous les deux. Même si l'entretien a pris une bonne tournure, évitez de faire sentir votre satisfaction. Il reste encore du chemin à parcourir et vous n'avancez pas en terrain conquis. Tâchez de vous renseigner sur cette prochaine échéance : qui allez-vous voir, l'entretien portera-t-il sur un point précis, y aura-t-il encore plusieurs rencontres... Maintenant que vous êtes dans le circuit, cherchez à parler d'égal à égal. La politesse, toujours, mais surtout pas la timidité.

A côté de la plaque :
- *« Pas tout de suite, je pars en vacances. »*
- *« C'est où vous voulez quand vous voulez. »*
- *« Comme ça, je suis bien parti(e). »*
- *« Il faut encore que je voie des gens. »*
- *« Ça sera pour parler de la rémunération. »*
- *« C'est très gentil à vous de demander à me revoir. »*
- *« Je n'ai pas d'agenda, mais si vous me donnez un bout de papier. »*
- *« Si j'ai un empêchement, je peux vous joindre à quel numéro ? »*

Etes-vous prêt(e) à signer tout de suite ?

« Je me suis demandée si je ne rêvais pas, mais non, on me demandait bien si j'étais prête à signer mon contrat dans l'après-midi. Compte tenu du fait que je cherchais depuis plusieurs mois, je n'ai pas hésité et j'ai signé dans la foulée. Trois mois plus tard, même si j'ai enfin du boulot, je regrette cet excès de précipitation car mon salaire est bien loin de mes prétentions initiales. » Hélène a parlé trop vite, mais au moins a-t-elle trouvé du travail. Tant mieux pour elle car on en connaît d'autres qui ont été victimes d'une sévère désillusion : comme Hélène, ils se sont dits prêts à signer tout de suite, mais le recruteur, échaudé par leur promptitude, leur a dit que, finalement, il préférait s'accorder quelques jours de réflexion supplémentaires. Et ce qui devait arriver est arrivé : ils n'ont pas été pris. **Moralité : quand bien même la proposition est intéressante et le salaire attractif, demandez toujours un petit délai de réflexion.**

Un recruteur ne saurait vous tenir rigueur de votre prudence, même si le poste est à pourvoir rapidement. Evidemment, accompagnez cette réponse d'un certain nombre de précautions oratoires : dites par exemple combien vous êtes satisfait(e) de cette issue (apparemment) favorable, mais **ne cédez jamais à l'euphorie du moment**. Un contrat de travail, cela s'étudie au même titre qu'un contrat d'assurances et certains points méritent certainement d'être éclaircis. Alors, si certaines questions vous turlupinent, c'est le moment ou jamais pour les poser. *« Honnêtement, je connais peu de collègues qui s'aventurent sur le terrain d'une proposition immédiate sans arrière-pensées »*, commente ce directeur des ressources humaines, *« Beaucoup se défieront d'une réponse affirmative, même si elle est enthousiaste. Ils considéreront que le candidat fait preuve d'une trop grande précipitation, qu'ils assimileront, le cas échéant, à un manque de recul, voire un manque de discernement. »*

Cela dit, tout est aussi une affaire de psychologie : dans certains cas, vous allez comprendre très vite que le recruteur a besoin de pourvoir rapidement le poste pour telle ou telle raison. A ce moment, récapitulez tous les éléments qui vous semblent importants, et si les choses sont claires, ne faites pas la fine bouche, dites à votre interlocuteur que vous le rappelez sous 24 heures. Pour avoir vu un grand nombre de recruteurs à l'œuvre, certains sont ulcérés de voir des candidats réserver trop longtemps leur réponse. La prudence a beau être mère de sûreté, par les temps qui courent, mieux vaut ne pas attendre trop longtemps. Les occasions sont trop rares...

CONCLUSION

Ça y est ! Vous sortez d'un entretien et vous avez le sentiment que tout cela s'est plutôt bien passé. Tant mieux, mais rien n'est fini, tout ne fait même que commencer.

Première étape : faites le bilan de cette confrontation. Prenez quelques minutes, crayon à la main, pour analyser votre prestation. Rappelez-vous les questions, voyez en priorité celles sur lesquelles vous avez hésité et construisez une meilleure argumentation.

Trop de candidats, parce qu'ils ne font pas ce petit travail post-entretien, passent à côté d'un certain nombre d'enseignements. Pourtant, en digérant de la sorte un entretien, on se prépare d'autant mieux pour le prochain. Car il ne fait pas de doutes que d'autres entretiens vont suivre, dans cette même entreprise ou dans d'autres.

Dans cette course d'obstacles que représente la recherche d'un emploi, l'endurance finit toujours par payer. **L'endurance, c'est-à-dire une motivation permanente** qui fait qu'on aborde chaque entretien gonflé(e) à bloc, prêt(e) à mordre dans chaque question quand bien même on vous la pose pour la dixième fois en une semaine.

Beaucoup de candidats se plaignent du caractère similaire de la plupart des entretiens, tellement similaire qu'ils ont le sentiment de se répéter en permanence. Erreur : on dit peut-être les mêmes choses, mais jamais de la même façon.

Autrement dit, les réponses méritent d'être sans cesse retravaillées pour être le plus efficace possible. **On ne naît pas bon à l'entretien, on le devient !** Soyez-en bien convaincu(e).

Collection Poche **Studyrama**

- 100 conseils pour créer son entreprise
- 100 conseils pour créer une association
- 100 modèles de lettres pour la correspondance privée
- 100 modèles de lettres pour l'entrepreneur individuel
- 300 QCM pour tester votre anglais
- 300 QCM pour améliorer sa culture générale
- 350 questions pièges !
- 350 questions sur le cinéma
- 450 questions sur la musique
- 500 QCM de culture générale
- 1er emploi : connaissez vos droits
- Améliorer son relationnel dans l'entreprise
- Apprendre à lire vite
- Contrat de travail : mode d'emploi
- Entretien d'embauche : les questions incontournables
- Etudier en Espagne
- Etudier en Grande Bretagne et en Irlande
- Expressions du français vers l'espagnol
- Expressions types du français vers l'anglais
- Faire son bilan de compétences
- Gérer un conflit
- Gérer son stress
- Gérer son temps
- La lettre de motivation pour les filières professionnelles
- La lettre de motivation pour un 1er emploi
- Le CV en anglais
- Le guide de la lettre de motivation
- Le guide de l'entretien d'embauche
- Le guide des tests de recrutement
- Le guide du CV
- Les mots clés de la lettre de motivation
- Logique numérique
- Logique verbale

- Maîtriser la parole en public
- Maîtriser sa mémoire
- Maîtriser son expression écrite
- Mener une conversation en anglais
- Modèles de CV pour trouver son premier job
- Modèles de lettres de motivation qui marchent
- Nouveaux tests de recrutement
- Pièges de la grammaire anglaise
- Pièges de la grammaire espagnole
- Pièges de la grammaire française
- Postuler en anglais
- Prendre la parole sans préparation
- Raisonnement logique
- QCM de culture générale spécial fonction publique
- QCM de logique
- QCM pour améliorer sa culture générale
- Savoir prendre des notes
- Testez votre culture générale
- Testez votre intelligence
- Testez votre opinion politique
- Testez votre QI
- Tests psychotechniques
- Tests psychotechniques de recrutement
- Trouver un emploi sans diplôme

100 QUESTIONS

- Art
- Cinéma
- Géographie
- Histoire ancienne
- Histoire contemporaine
- Médias
- Sciences
- Vie politique

GEOPOLITIQUE

- Civilisation Américaine
- L'Asie
- L'Iran
- L'OMC
- La géopolitique
- La mondialisation
- Le FMI
- Le Moyen-Orient
- Le nouveau visage de l'Amérique
- Le pétrole
- Le Royaume-Uni au XXe siècle
- Le XXe siècle
- Les dictatures du XXe siècle
- Les Etats-Unis
- Les grandes batailles
- Les hommes qui ont fait le monde
- Les présidents américains du début à la fin de la guerre froide

LANGUES

- 250 expressions types de l'anglais
- 300 QCM pour tester votre anglais
- Grammaire anglaise : le verbe
- Grammaire espagnole
- L'anglais de l'immobilier
- L'anglais de la banque, de la finance et des assurances
- L'anglais des affaires
- L'anglais des jeunes
- L'anglais des médias
- L'anglais des ressources humaines
- L'anglais du droit
- L'anglais du marketing
- L'anglais en 60 exercices
- L'anglais pour voyager
- L'anglais vite fait bien fait
- L'espagnol en 100 exercices

- Le chinois des affaires
- Le chinois facile
- Le chinois pour voyager
- Le small talk
- Le russe facile
- Les faux amis en anglais
- Les homonymes anglais
- Les synonymes anglais
- Mener une conversation en anglais
- Mener une conversation en espagnol
- Mots et expressions clés du chinois
- Mots et expressions clés du russe
- Trouver le mot juste en anglais
- Trouver le mot juste en espagnol

34/38, rue Camille-Pelletan - 92309 Levallois-Perret cedex
Imprimerie Corlet - 14110 Condé-sur-Noireau - N° 120820
Imprimé en France - 2e trimestre 2009
IMPRIM'VERT®

Service éditorial : Marjorie Champetier, Elsa Goisnard, Deborah Lopez, Marie Tourat
Conception graphique : Studyrama

Dépôt légal à parution **ISBN** 978-2-7590-0730-1